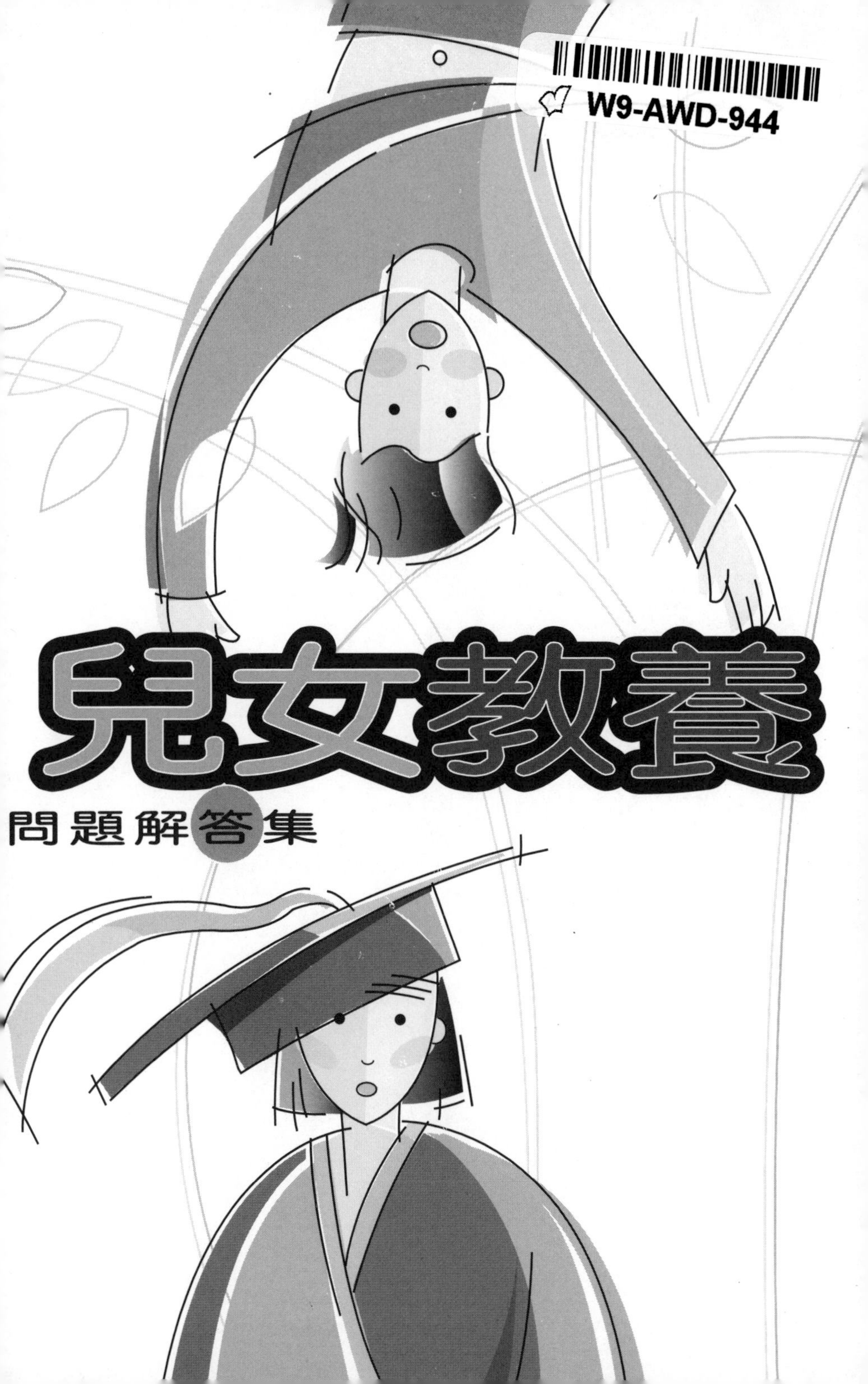
兒女教養
問題解答集
W9-AWD-944

兒女教養問題解答集

作者：蘇緋雲博士

出版：協傳培訓中心

發行：Partners Training & Communication Sdn. Bhd. (500714-X)

93A, Jalan Emas 1, Taman Sri Skudai,

81300 Skudai, Johor, Malaysia.

Tel：607-5577 034

Fax：607-5588 284

E-Mail：ptcmy@tm.net.my

出版編號：PTC2001005

封面設計：Impetus Concept

承印者：長青印務社　Syarikat Evergreen

出版日期：二零零二年一月再版

How To Nurture Your Kids

by Dr. Esther Su

ISBN 983-2232-24-4

目錄

簡介、大綱、原則

●請你介紹一下，你們四位天才兒童學習的過程。

我們的老大九歲考進大學，老二、老三、老四都在十二歲考進大學；老二比較特別一點，因爲她在九歲的時候曾經去大學讀過一段。很多人很好奇，要知道到底是怎麼樣的學法？我在這裡簡單的介紹一下。

老大在兩歲多的時候，就自己開始看書了。他接觸的第一樣語言是我們在家裡講的閩南話，但是看書的時候中文還不是懂得那麼多。由於他生長在美國，兩歲多的時候就可以自己看英文書。到四歲的時候，我記得他做的數學差不多是四、五年級程度的數學。我們常常就用一些數學題目來玩玩，以後有機會我會回答這一方面的問題。

三歲的時候，我送他去一間媽媽也可以參與其中的學前幼兒班。我與他在一起，什麼問題都沒有，他很高興、很快樂的參與。只有在小孩子一起唱遊的時候，他沒有參加，只是站在那裡觀察。四歲的時候，老三出生了、老二一歲半，因爲我沒空，所以把他送去另外一間他自己去的學前幼兒班。那個時候就有一些問題開始發生了。

我記得有一次老師把他送回家，她說孩子不聽話。我當時覺得有一點奇怪，不過沒有真正去想，後來我才了解他爲什麼不聽話。他們那所幼兒班分爲兩班 — 上午班與下午班，老師爲了讓洗手間比較清潔、方便安排的緣故，就讓上午班用一個洗手間，而下午班則用另外一個洗手間。上午班的同學就全部共用同一個洗手間，但是老大不肯進去，因爲洗手間門口寫的是女廁所，他說我是男孩子，我不可以進去。

第二次老師又說他不聽話。這一次我覺得奇怪，所以便去學校參觀一下，看看到底是怎麼樣的不聽話。我發現他坐在小椅子上面，兩條腿搖來搖去，人家唱歌的時候他沒有跟著唱。他兩條腿搖來搖去，有的時候就會踢到前面孩子的椅子。我不知道怎麼辦，也不覺得這是很大的問題，也就沒有處理。

那一年當中，我們到處去尋找特別爲已經可以看書的孩子而設的班級或學校。他四歲那一年看什麼書呢？他看的是一般成人所看的書，比如讀者文摘這些雜誌，還有大英百科全書。我還記得他五歲之前，除了哥林多前後書以外，已經把聖經的新約讀完了。爲什麼我還記得呢？因爲他那時已經會打字，他把已經讀完的聖經經卷打出來，所以我知道他新約差不多看完了。五歲的時候，他看的聖經是哪一個版本呢？他要求我們給他的聖經是 King James Version（欽定版）的，就是莎士比亞時代的英文聖經。這本聖經對很多人來說，都是不太容易讀的。他大概曾經聽見我們大人在談論，所以要求要那本聖經，因爲他覺得那是比較準確的翻譯，我們就買了他要的給他。

他五歲時，由於找不到特爲已看書的孩子開設的幼稚園，就照著正常的年齡進了幼稚園。幼稚園是每天上午上課三個小時，這是因爲我們的學區安排他到這間學校就讀。我記得第一天送他去學校的時候，他是坐校車去，而我在後面開車跟著，要看看他到學校有沒有什麼問題。我就跟他的老師打個招呼，再告訴他這個孩子已經可以看書了。很奇怪的，那天我去接他放學的時候，那位老師好像不大高興。他說我們的老大那裡會看書，他連自己的名字也不認得。原來，之前他曾要求小孩子們把自己名字的名牌撿起來，我不知道爲什麼我們的老大沒有撿，所以老師誤以爲他連自己的名字也看不懂。

過了一個星期之後，不知道爲什麼校區把他換去另外一間學校，這間學校的老師就沒有講過這樣的話。但是，在第一次師長與家長會議裡，這位老師很客氣的對我說，「我要怎麼樣講呢？妳的孩子不尊重權威。」我問，「是怎麼一回事呢？」她說，「因爲他不聽話。」我再問，「怎麼樣不聽話？」她說，「我們要他畫圓圈，他就畫三角形；有時候，他更走來走去跟同學說，不是這樣做的，而是另外一些的做法，改正同學所做的東西。」我聽了之後，心裡覺得很懷疑、奇怪，因爲他是一個非常乖的孩子，他非常聽話，從來沒有違背，也不會吵架，不會罵人，更不會搶東西。甚至有一次一歲半的時候，我們帶他到公園裡，有一個小孩子從他嘴巴裡把餅乾搶過去，他也無所謂。他三歲時，就讀的那間幼兒園，有大孩子把他推倒，他也沒有反抗，是一個脾氣非常好的孩子。

我心裡就覺得奇怪，爲什麼他在家裡這麼乖，在學校卻不聽話，所以我就要求老師讓我在班上坐坐，觀察一下到底是什麼問題。觀察的時候我就發現，哦，原來幼稚園所學的東西是這麼容易、這麼淺的，他們學的都是很簡單的字與很簡單的數學。我記得我們老大四歲的時候，他的數學已經是小學五年級的程度了，他已經可以做除法，也可以做一些簡單的分數。我想他大概是因爲太悶，因爲在學校裡沒什麼好做的東西，所以他自己想出一些東西來做。我了解到，老師叫學生畫圓圈，他大概覺得圓圈有什麼好玩，他就畫三角形。另外，他覺得老師教的東西太容易了，在學校的時候很悶，所以就到處去走。我做了些什麼呢？我只能像其他的媽媽一樣，回家的時候就告訴他，「你在學校裡要聽老師的話，老師告訴你做什麼，你就做什麼。」由於他是很乖的孩子，我這樣講，他也就這樣照著做了。

還有一個現像，就是他從學校回來的時候，都會安安靜靜坐在門口看書。我聯想到四歲的時候，他一個星期有兩天去幼兒園，也有如此的現象發生。他在學校兩個小時後，回家就坐在門口看兩個小時的書，安安靜靜沒有吵其他人。當時我不覺得有什麼不妥，也沒有什麼不好，因爲我可以不用分心的照顧另外兩個孩子。但是到了上幼兒園的時候，我開始覺得這有一點問題了。每次從學校回來，他都是乖乖的坐在門口看書。我想如果這樣繼續下去的話，他在學校兩個小時，就回家看兩個小時的書；在學校三個小時，就回家安安靜靜三個小時；那麼如果在學校六個小時，回家不就什麼話都不講了嗎？

他有一個比他大五歲的表哥 — 我哥哥的兒子 — 也有同樣的表現。我哥哥告訴我，他不大喜歡和別人講話，回家總是看書。我想這是不是同樣的問題！我記得我每年去他們家裡的時候，我都與他玩，覺得他非常聰明。差不多八個月的時候，他就會和我說話，我說一個字他可以跟我一個字。我記得那個時候，我跟他講 Baby powder ，他就說 Baby pow-，沒有全部學起來。他也是在兩歲多的時候就會看書了，但是現在十歲了，爲什麼卻變成一個不愛講話的人呢？這可不可能是同樣的問題？他在學校的時候很悶，好像我們老大一樣，上了兩個小時的課，回家就要解悶兩個小時，在門口自己看書；上了三個小時，回來就要解悶三個小時；上了小學，是六個小時，回家不就需要六個小時安安靜靜的解悶嗎？

當時我就覺查到這個不對勁了，但是我又不知道應該怎麼辦。我只有在老大回家的時候陪他做其他的東西。我陪他做一些數學遊戲或做一些科學的實驗，我發現他做的時候都很高興，一點問題也沒有。他學得很快也講很多話，他發問、也回答問題，這樣就過了這一年。

這一年裡有一件特別突出的事情。有一次我的弟弟從加州過來探望我們，他帶了一隻很大的龍蝦來。哇！老大看了好高興，他要求我們把那隻龍蝦的殼不要弄破留給他，所以我們吃龍蝦的時候就很小心，把龍蝦的殼留下來。他要做什麼？當時他在幼稚園裡有一個叫做 "Show and Tell" 的活動，就是要帶一些東西去給同學看，然後講述這件東西。老大說，他要把這隻龍蝦的殼帶到學校，去 Show and Tell ，講給同學聽。

他就問我們西雅圖這裡有沒有龍蝦，我說我不清楚這裡有沒有龍蝦，他就自己去找百科全書。看了之後告訴我們，西雅圖這一帶的海沒有龍蝦，不是因爲龍蝦不能活，而是因爲龍蝦不能在這裡繁殖，因爲水不夠冷。如果我們把龍蝦放下去，牠可以活但是不能傳代，所以這裡就沒有出產龍蝦。啊呀！我也學到一點東西啦。從那個時候開始，我們就發現，他懂得很多我們不會的東西，我們可以把他當做百科全書來問問題，所以有人就稱他爲「行動百科全書」，因爲無論你問什麼題目，他好像都懂得一點。

他去學校 Show and Tell 的時候，他就把龍蝦的生命過程，牠怎麼樣生、怎麼樣長的生命過程講給其他同學聽。我不在場，我不知道那些五歲小孩子聽了怎樣？但是老師的反應卻不錯，老師叫他去講給校長聽，這是他回來告訴我們的事。這是一件我們還記得的突出事情。

那年上課的最後一天，那位老師 Mrs. Carol Tye 打電話給我。她說，今天晚上有一個妳可能有興趣的聚會，是由西北區一個資優兒童協會主辦的。這個協會是一些有同樣問題的父母親所組織的，他們研究有什麼辦法可以幫助一些學習進度比較快的學生。我去參加，我已不記得聽了什麼，完全沒有印象，但是我曾在會後問答時間舉手提問，我說我有這麼一個孩子，有什麼人可以幫助我。啊，那天晚上竟然有一位學校的心理學家在那裡。你知道嗎？我根本不知道學校裡還有心理學家。

這位心理學家 Tom Potter 博士告訴我，這學區有一間特別的學校，小學部分成四組，第一組是一、二年級年齡的學生都可以上的，有一、二、三年級的課程。然後他要我帶孩子去，讓他測驗一下。測驗之後，他告訴我，「妳的孩子很特別。」我說，是怎麼樣的特別，是百份之多少？就是一百個小孩子之中，他是在前面的五巴仙或者百份之十等等。他笑笑說，可能是百份之一的百份之一。我聽不懂，他說不是那麼多人像我的孩子，他從事心理學十四年裡只見過兩個這樣的孩子（另一位是十二歲的時候測驗的）。我的老大那個時候是六歲。我問，他智商多少？他說不知道，因爲已經超過頂限了（智商的頂限是一百六十），就沒有辦法再知道。他說，妳的孩子應該是唸六年級，但是沒有辦法，因爲這裡沒有這樣的設備。他過後介紹我們帶老大去他所告訴我的那一間學校，那麼他可以讀三年級的東西，所以我們就這樣安排了。

在開始的時候，孩子很高興，他很喜歡上學了，不過過了一陣子又沒興趣了。當我去研究的時候，我發現他又是覺得很悶了，因爲三年級的東西全部唸完了，沒有什麼好學的。我與老師討論，我與校長討論，這位心理學家也幫助了我們。如果遇上了同情的老師，他就會給老大其他的東西做，讓他學習五、六年級的課程。不過，也有一些老師並不同情，幸好這個特別的班是由四個老師一起執教。如果只有一個老師執教，而他又不同情的話，那不就是很糟糕嗎？幸虧他們有四個老師。其中一位教英文的老師 Susan 是特別同情他的，就給他上五、六年級的課程；另外一位教數學的老師，則不知道要怎麼辦。我就與校長講，老大其實自己會看書，不必要有人教他的。他只需要有書本，就可以跟著課本自己去做，這樣他在學校就不會覺得太悶了。校長並不了解，也不同情，所以我常常與校長商討，常常與老師商討。看見孩子不喜歡上課，我覺得很傷心，他現在只有一年級而已。在幼兒園的時候，他每天都不喜歡上課，但是他還是聽話，媽媽講了好話之後，他還是相當勉強的去上課。到了一年級，他又不想上學了，我覺得很可憐。如果一年級都不喜歡上課，怎麼辦呢？還有那麼長的學習時期，怎麼辦呢？

我一直在尋找辦法，我與老師交談，我與校長交談，希望他們可以了解，但是偏偏就很少人可以了解。連我們很熟的朋友也不了解，他們常常以爲我們一定是怪人，一定是我們做錯了什麼，我們怎麼可以叫那麼小的孩子讀這麼多書。其實我們並沒有叫他讀書，是他自己要看的。後來，由於很多人都不了解，我們都不跟人家講了，因爲講了也沒有意思，連我們自己的朋友都不了解。學校那一方面怎麼辦呢？我來來去去與老師、校長講了很多話，最後那個校長大概生氣了。他說，「好了，你們要怎麼樣就怎麼樣。」

這句話讓我很高興，我就去與數學老師講，我說校長說要怎麼樣就怎麼樣，那你就繼續給他書本就是啦！他會自己做的。所以在數學方面，他就很高興了，他從一年級、二年級、三年級、四年級一直做下去了，他就不再悶了。校長曾經講過的另外一些話，也被很多報章刊載。他說，「沒有一個我的六年級學生能夠做微積分的！」(no sixth graders of mine will be able to do Calculus) 我不知道他爲什麼這樣講，只是覺得很奇怪。這句話結果就被人家記住了，報章採訪的時候也把這句話引上去了，因爲我們的老大在還不到六年級年齡的時候，就確實在大學裡修讀微積分了。

二年級到了，換了另外一個數學老師。他不同意一年級老師的作法，他認爲不應該讓小孩子讀這麼多東西，應該讓他讀回二年級程度的數學。你們可以了解那個時候的我是很累的！我一天到晚來回學校，希望老師、校長可以了解他。但我發現我不能改變一個人的思想，一聽到這位老師的講法，我想，算了，我不能改變他的思想。再講下去也沒有用，我就決定再去找其他的學校。

後來，我就發現在距離我們家差不多有半個小時車程的地方，有一間私立的學校，他們只招收智商高達一百三十以上的學生。測驗之後就收了老大，不是安排他在二年級，而是安排他在四年級，然後給他學習五年級的數學。奇怪的事情又發生了，他突然間又很喜歡上學了。有一次他發燒，我們不讓他上學，他很捨不得，整個態度改變了 — 從不喜歡上學變成喜歡上學。

我學到什麼呢？我學到了一個孩子的心理會影響他整個人。如果在學校他很悶的話，他就根本不想上課，不但影響他對學校的印象，而且也影響他的生理。什麼意思呢？老大那個時候七歲，只有三十九磅，非常的瘦。但是他一轉到這間私立學校，一個月之內，他就胖了五磅。奇怪嗎？我學到的是一個人的心理會影響他的生理，影響他整個人，如果學校的環境不適合的話，會影響他很多方面。

我回想到他四歲的時候在幼兒園的另外一件事。他那時常常伸訴肚子痛，他給我的理由就是說褲子太緊了。我就把褲帶放鬆，他仍然說肚子痛，還是覺得褲帶太緊，那我就繼續把他的褲帶放鬆，鬆到有一天褲子根本快掉下來，沒有太緊啊！我才覺得奇怪，好像不是褲子的問題。可惜我那個時候不懂，我不知道原來是他心理上出了問題。他覺得不舒服，就覺得肚子痛，所以就以爲褲子太緊了，讓他覺得是褲子的問題。

我把我們一些無知、失敗的經驗告訴你們，希望你們可以不需要經過我們所經過的，可以早一點幫助你們的孩子，早一點發現他們所需要的學習環境。

那一年，他就很高興，每天上課都講了很多話，回來也有很多東西與我分享，我爲這情況感到很高興。在學期尾聲的時候，那位心理學家又聯絡我，他說現在校區換了一位校長，也換了一位校監，他們都比較年輕，比較容易溝通（對不起！不是所有不年輕的人都不容易溝通）。他問，你要不要把你的孩子帶回我們學區的公立學校？我就問他說，你覺得好嗎？他說，我覺得很好，我覺得你的孩子可以做代數。我說，你怎麼講，我們就怎麼樣做。他就要求校長讓老大半天在小學五年級，半天在初中。那位校長 John Evans 先生的確很容易溝通，結果他同意這樣的安排。接下去的兩年，老大就半天在五年級、半天在初中；半天在六年級、半天在初中。

他被安排在中學那裡吃午餐，開始的時候，午餐都是吃不完的。由於他較年輕，腿比較短，跑得比較慢，常常排到很後面的位置。他拿到午餐的時候，已經快沒有時間吃了。過了一陣子，老師就發現到這個問題，他很好心的讓老大提早兩分鐘離開課室，這額外的兩分鐘足夠讓他跑得比其他同學快了，結果那一年他就吃得很高興。他是一個很乖的孩子，不想浪費，所以給他的都全部吃完。學校給初中孩子吃的東西當然是比較多一點，老大不想浪費，所以他全部都吃完。這兩年來，他就開始胖起來了。再下去一年，他就半天在初中、半天在高中。他也與初中的同學上體育課，在有運動、吃得多的情況下，那一年應是他最胖的一年。

大約他九歲的時候，我們從報章上的報導中得知，東部有一間大學 Johns Hopkins 接收十四、五歲的小孩進修課程；從中也得知西雅圖也有一位心理學家在做這方面的研究，希望開設少年班，讓年齡比較小的孩子進修大學課程。我們知道後，覺得也許這裡可能有人可以幫助我們，應該與他認識一下，帶孩子給他看看，或者可以在那裡留下一個檔案，以後有需要的話較方便。

我們帶孩子去找這位心理學家 Hal Robinson 博士，談了之後，他竟然給老大做大學入學試，怎麼知道老大又考及格了！我們幾個大人商量之後，覺得他太小了，只有九歲，不希望他太早進大學。我們想等他十二歲，大一點的時候再進去，所以還是讓他繼續半天在初中、半天在高中。但是當他十歲的時候，高中所有的數學都讀完了，我們只好讓他進大學了。

我記得我帶他去大學註冊的時候，註冊的櫃檯比他還要高。平常學生來的時候就站在前面與裡面負責的人講話。我們的老大看不見，他的頭比那個櫃檯還低，我只好把他抱起來與裡面的人講話。這些負責註冊的女士們都覺得很好玩，一直在問幾歲啊？這個孩子怎麼樣啊？這就是他註冊的過程了。

他註冊的時候，我們也是糊里糊塗的，只是選了一個在時間上比較適合他的課程。那個時候他半天在高中，然後下午再去選修大學裡的課程。我就每一天在午餐的時間去中學接他出來，買一個中飯讓他在車上吃，然後就送他到大學去。他就在半個小時的車程上，享用他的午餐。

我了解我的孩子，他只有十歲，還是小孩子。雖然已經在唸大學了，但他不是大人，仍然是小孩子。他還是玩小孩子的玩具，喜歡與小孩子玩，有小孩子的天真，他就是一個小孩子；只是他在某些方面發展的比較快一點，所以我們讓他有機會來加以發展而已。我們沒有把他當做成人來處理，他還是小孩子，照著他的成長速度與程度來對待他。

他在大學選修課程的時候，我都與他商量。我告訴他什麼課程可能適合他讀，再把那個科目解釋給他聽，但是最後的決定還是在於他自己。他決定之後，我會逐一聯絡有關課程的教授。我請教他的意見：「我們有一位年紀比較輕的孩子要上你的課，你介意嗎？」如果教授的反應是：「我不知道怎麼辦，我從來沒有在大學裡教過十歲的孩子」，我就會選擇其他教授的課，因爲在大學裡同樣的課程有很多班，由不同的教授教課。我們只選修那些不介意老大上課的教授所教的課程。

微積分是他第一個的課程。那時我不知道這樣做到底對不對，因爲從來都沒有類似的經歷，所以我必須有所研究、觀察到底這樣對他是不是一件好事。在老大上課的第一個星期，我就請了人協助照顧家裡兩個小的，我就與老大一起上課，因爲我要在那裡觀察，看看這個環境是不是適合他。第一天，那一班竟然有八十八位學生，擠得沒地方坐，我很不好意思，因爲我不是真正的學生，也搶一個位子坐。我坐在最後，前面也有一些人就坐在地上，因爲椅子不夠坐。

第一天上課，我就察覺到一個問題了！這個老師教得很快，大學生都要寫筆記，我發現他教的速度與我寫筆記的速度差不多。我們老大一個字也沒有寫，我就開始有一點擔心了，怎麼辦呢？第一個星期就有一些作業，他很快的在半個小時之內完成了。我心裡想，算了吧，只要他懂得怎麼樣做就行了，有沒有寫筆記大概也沒關係了。我們以前一定要寫筆記，但這不是真理，不一定都要寫筆記，因爲筆記的作用就是要我們記得我們學到什麼；如果他學到了，做功課可以做得那麼快，就不要勉強他做他很難做的事情。他還是小孩子的手指，寫字很慢，所以他沒有辦法寫那麼快的筆記。

過後，我覺得這個環境可以讓他獨自去。或許在開始的時候，有人會問他，「你找誰？你是不是走錯路？」但是，過了兩個星期，就沒有人再問了。這個星期之內差不多就有四份之一的人不再來上課了，可能覺得太難或是時間不對等等，椅子就夠坐了。過了一兩個星期，大家對他都熟絡了，知道他就是班上的一位學生，沒有什麼奇怪，所以我很放心讓他繼續在大學裡唸書。

第一次考試的時候，我與他一起去上課。考卷就分了過來，他們也不知道我是不是他們的一份子，因爲在大學裡是不理你多少歲的，可以很大，也可以很小。比如我們老大畢業的時候是十三歲，而另外最老的畢業生是八十四歲，十三和八十四歲在同一屆裡畢業。西雅圖的報章也曾報導這事，也刊出他們兩人的合照。可惜在畢業典禮的時候，我找不到這位可欽佩的老人家，無法與她合照。如果學校裡有八十四歲的人在唸書，當然也有其他年輕一點的，所以他們不覺得我在班上有什麼奇怪。我看了考卷，我覺得題目相當中肯，不是太難也不是太容易，是老師教過的東西。

我注意老大，他坐在前面第一排，剛剛就對著老師的桌子。老大很快做完，就交卷了。那位老師拿過來看，我相信他也是很好奇，我也很好奇，我要看看老師的表情怎麼樣。這位老師笑了，我心裡就覺得比較安心了，大概是可以了吧。

這次考試成績是一百分，我有把它留起來，不過放在那一個角落就不知道啦！既然是一百分，那我就放心了。他課上得很高興，同學沒有欺負他，與他講話也很自然，所以我就放心讓他繼續唸下去了。後來我才發現這位老師被公認是最嚴格的。但是這位最嚴格的老師卻是對他非常適合，雖然教得很快，其實他是講得很清楚，他的試題是公平的，沒有奇奇怪怪的題目。

老大繼續這樣唸下去，我覺得我比較了解他，就沒有照著心理學家所提供的方式。我讓他唸最適合他的科目，他自己也覺得很適合。他年紀小，而且又是男孩子，對人生還沒有什麼經驗，也沒有興趣，所以文學、社會學、心理學等等的文科科目無法吸引他。我覺得他可以學得更容易、更合理的是一些邏輯性的、不需要人生經驗的科目，他就開始從數學、物理、化學這一類讀起。到了最後一年，才選修一些文學、心理學、社會學等必修課（不然就不能畢業了）。這是他學習的一個簡單過程，他主修數學，也讀物理、化學、電腦等。

從這個過程中，我們作父母的學到很多。我們發現以前一些固定的形式，不一定人人都行得通。我們作父母的，應是最了解我們孩子的人，應該幫助他們，因爲他們自己不知道怎麼樣來幫助自己。當我跟著老大在成長過程中，我也開始比較了解以往的我。

我自己從小學到中學這十幾年的時間，大概每年都病了半年，一個星期上課，一個星期生病，就是這樣的循環下去，還好我爸爸是醫生，不然醫藥費就很貴了。我一發燒，爸爸就不讓我去上課，在家裡休息。星期一，我一點點燒的時候，就沒有上課了，然後他就給我吃藥；差不多是星期二、三病就好了；好了，又不可以立刻去上課，因為發燒時少吃東西，媽媽覺得我很瘦，退燒了，胃口就會好一點，所以要補回來，所以到星期三、四就要吃補啦；過了星期四，還剩下一天嘛，算了吧，這個星期就不要上課了。這樣的事情每兩個星期就重複一次，所以每年我大概都是只上半年的課，我不知道原因是什麼。

當我與大兒子一起成長的時候，我就發現我以前也覺得學校的生活很悶，沒學到什麼東西。由於我不是一個反叛的人，所以不會做一些奇奇怪怪的事情。我做什麼呢？我天天發白日夢，思想不知道跑到什麼地方去了，總之課上老師講什麼我就不知道了，好像耳朵關起來了，所以上學只是純粹的乖乖上學。我想不出有什麼課是我覺得好玩的，在我所有對學校的印象中，好玩都是休息的時間、下課的時間。事實上，我常常在上課的時候就在想下課要做什麼，跳跳繩啦！踢踢毽子啦！

記得小學的時候，有一位姓林的老師常常在我們自修課的時候講故事。所以一有自修課，全班就一起叫他講金銀島 (Treasure Island) 的故事，故事中有一叫「黑狗」的角色，那我們全班的同學就一起講「林先生講黑狗」。我們這樣叫，他就過來講故事。他那個時候大概也是十九歲、二十歲左右吧。

我記得另外一件事情，這位林老師曾帶我與另外一個孩子去玩，因我們兩人是全班年紀最小的。我看到牆上有一個字我不懂，我就問老師這個字是什麼。這位年輕的老師倒是很聰明，他就說妳猜猜。我說這個字上面一個「不」，下面一個「正」，那一定是「歪」字了。他說對了。我只記得我是在牆上學了這個「歪」字，其他倒沒有什麼印象；只記得一些遊戲、課外活動，由我伴奏的唱歌比賽得到第一名等等，至於課堂上學些什麼我實在也沒有什麼印象。

在我跟著老大成長的時候，我就想到我自己。原來我不喜歡上學，可能就是太悶了，在學校裡沒有什麼好學的。我那個時候不懂得這個原因，不能分析自己的情況，也不懂得怎麼樣來處理這件事情。我了解到一個可能很聰明的孩子，因為他小，還不能分析自己的問題，也不知道怎麼樣來幫助自己。在幼稚園的時候，我們的老大一定是很悶，他也不知道怎麼樣來幫助自己，所以他就做出像那位幼稚園老師所講的奇怪行為，要他們畫圓圈的時候，他就畫幾個三角形，然後走來走去指出同學做錯的功課。

各位作父母親的，我很盼望我們的一些無知的經驗，可以給你們做參考。我們的孩子需要我們，所以我們必須給他們時間，要研究他們，要與他們在一起。可能外面的人、老師們會誤解他們，但是我們千萬不要誤解他們。老大上大學之後就沒有問題了，學校裡也不管你多少歲，他就繼續的讀，到了研究院的時候更沒有問題了。

老二呢？老二比老大小兩歲半，從老大的身上我已學到一點。我就早一點送老二進幼稚園。那個時候，我們學區的幼稚園有開設開學前兩個星期的特別課程。去報名的時候，老二的年齡還沒有到，不可以進幼稚園。他們建議，老二可以試試看上那兩個星期的課程。這位老師告訴我，開始的時候他覺得老二這麼小（體格、年齡都太小），怎麼能夠讀書？到了兩個星期最後的一天，我去接小孩的時候，這位老師卻告訴我，我們的老二是全班懂得最多的孩子，所以他們許可她早一點進幼稚園。

她進去的時候還沒有到五歲，比別人早半年進幼稚園。

她照著平常上一年級，後來因為她的英文、數學都比較快，那麼在二年級的時候就跳了一班。老二差不多兩年跳一級。當她九歲的時候，大學請她去唸。這一年之中有很多很好的地方，我自己也在她們的班上教物理學。那個時候我也帶著小弟弟一起去，幸虧他很乖，在那裡自己玩、自己看書，沒有吵我們。一年後，我覺得大學裡有一些不是真理的教導，我想小孩子很難分辨得出來，我覺得對她不是很健康。在這個情況之下，我特別得到創造者給我的指示，所以十歲的時候送她去一間私立學校，是教會學校。

這間學校的老師、校長非常同情她的情況。我的要求只是讓小孩子在某一個課的時間，帶自己的書包去另外的課室上課，理由是她十歲的時候是在初中一，但是她的數學卻有高中二的程度。這樣，學校當局也不需要做另外的安排，老師不需要做其他事情，只是老二的數學是在高中二那一班上。校長同意我們這樣進行，所以她就從十歲到十四歲，在同一間學校唸書。當她完成了所有大學入學所須的課程後，雖然中學還沒有畢業（她的體育還沒修夠），她就往大學進修。

在大學裡她很自然，沒有什麼特別的事。她那個時候已經十四歲，女孩子比較早長大，所以不很容易令人看出她小；加上她在十二歲時的暑假曾去大學修讀拉丁文，她自然很享受大學的生活了。她的興趣多元化，在大學的時候，她不單主修音樂，也主修化學。

我讓老三更早一點進學校，因為她記性特好，又很獨立。她早一年進了幼稚園，這是一間教會學校的幼稚園。私立學校小一點，比較容易講話，那裡的人同情你的話，就很容易辦事。公立學校因為很大，他們就很難做安排了。事實上，我老早向公立學校當局，建議我們老二讀書的辦法（不同的科目在不同的班），甚至我自己願意去幫他們的忙，但是他們還是不接受，因爲老師不肯，也不知道怎麼樣做。那時候我用很多的精神在公立學校，希望可以幫他們一些，但是他們的反應不佳就沒有辦法做什麼了。在私立學校，只要校長覺得好，就很容易做事情了。

雖然老三的幼稚園是在私立學校唸，由於我們的學區是本州最好的學區，就讓她回來我們住的地方的公立學校唸一年級。之後她直接跳往三年級。她四年級的時候，我們發現她的老師 Laurie Griffin 先生很同情我們。他是一個真正想教書的人，很了解學生，雖然他有很好的學位，可以賺更多錢，但是他還是堅持要教書。因爲這個緣故，他與我們的孩子非常配合得來，他讓老三在他的課堂裡做比較深的課本。所以再接下去的兩年，老三都留在同一個課室裡，這位老師給她不同的課本繼續進深。第三年的時候，她也去高中修一些課程。後來因姐姐的學校這麼好，所以她也到那裡去，唸了差不多四年，與姐姐一樣，以同等學歷進入大學唸書。

最小的老四更沒有問題了，爸爸、媽媽已經有很多經驗了。我們作父母親的商量之後，覺得讓他在姐姐的學校會對他非常好，所以他從四歲開始就在同一間教會學校讀書，一直讀到三年級。老四很遲才開始會看書（老大兩歲多開始，老二、老三三歲開始），到四歲的時候才自己看書。我們覺得這很好，不需要有什麼特別的預備或者安排，因爲他可以以正常的學歷、正常的年齡進去學校。老四很特別，是一個很不喜歡變化的人。他熟悉的東西，他就不願意再變。比如說衣服，我們買新的衣服給他，要掛在他房間一陣子，他看熟了才穿。鞋子也是一樣，很辛苦，如果看太久的話，就不能穿了，所以買的時候要買大一點。

不過到了三年級，我就開始發現他好像對課室裡的東西有一點沉悶了，沒有什麼興趣了。我研究一下，就發現他的數學好像特別快。那個時候，我們那一州也開始許可我們自己在家裡教導小孩，所要求的資格只需要大學一年的程度，對我來講那是沒有問題。我與他商量（由於他不喜歡改變，需要我預先與他商量，這樣他就有時間去慢慢想、慢慢考慮），我問他，「要不要明年媽媽自己教你，不去學校上課；我們可以與學校商量，買他們的書、作業本子、學校的材料，那你就在媽媽旁邊上課，看看我們可以讀多少就讀多少？」

後來他答應了，在我的旁邊自己學習，所以下一年就沒有去學校了，但是我們仍然用學校的書本、作業、考試等。這一年他讀了兩年的科目，數學就讀了六年的數學。開始的時候，我去學校借了四年級的數學書，我只給他每一章後面的考試，就是考這一章的範圍。如果他考對了，就不需要再回去做前面的習題；如果他什麼都不懂，那我們就必須再回去複習。這本書差不多只有五、六章，是一年的學習範圍，有五、六個考試。我們每一天就做一個考試，結果一個星期他就完成了整本書。我再去學校換五年級的數學，一個星期後他又做完了；我再去學校換六年級的書。這樣一直做，直到九年級的數學，發覺那是比較接近他的程度了，我們就慢下來。當他再回去學校的時候，他就跳了一班，到六年級去，然後他自己做十年級的數學。

那一年的經驗，我們大家都很高興。對他來講，也很舒服，因爲每一天我們上班的時候把他一起帶去，然後在辦公室給他一張小桌椅，告訴他當天的功課，他就自己做了，平常也沒有什麼不懂的地方。有的時候我走進或走出的時候，會看一看他，笑笑的問候一下，看看有什麼問題。事實上，多數與他打招呼、安慰一下、講講話而已，他不需要我幫他太多的忙。在學校裡，一般較高的班級會做一些研究的文章，我們也做了幾篇的研究文章，我帶他到圖書館去選書，由他決定要研究什麼課題。

當時，他選的其中一個題目也幫助了我。這個題目是關於南美洲現有的一種鳥，牠的特徵是翅膀上面有爪。以前我們讀書的時候，我們的書本告訴我們，鳥還沒有進化成鳥之前，牠是屬於爬蟲類。處在進化過度時期的鳥（或稱爲始祖鳥），就有一半爬蟲、一半鳥的特徵 — 牠翅膀上面有爪。當老四在做這篇文章的時候，我們才發現原來書本所講的不一定是對的。有爪的鳥不一定是過度時期的動物，因爲現今的鳥也是有爪的，所以有沒有爪不能決定牠到底是不是過度生物，牠只是有爪的鳥而已。「始祖鳥」這個名字也是人取的，這隻鳥並沒有自己說，「我是第一隻鳥。」只是根據某些學者的觀念說，牠一定是第一隻鳥了，因爲牠的翅膀上面有爪。我們就討論，到底什麼是事實、什麼不是事實；什麼是我們可以接受的真理，什麼還有很多的疑問。這樣與孩子討論，其實就是最好的教法，讓他自己可以審核什麼是事實，什麼不是事實，只是某人的見解和意見。

老四上了六年級之後就到初中一。初中一的時候，他也繼續他在高中的數學。完成之後，大學就請他過去讀，因爲他已經考獲入學的資格（老二、老三、老四都是十二歲的時候考進大學）。在老大的時候剛剛開始的少年班已經相當有形了，我帶他去參觀這個少年班，讓他自己做決定。參觀了之後，他告訴我，他看見一些少年班的孩子好像很驕傲，恐怕他會被他們影響，所以希望繼續在教會學校再讀一年，讓他可以比較成長、成熟，就不會受影響了。我們覺得他的理由非常好，所以我們就讓他繼續在私立學校一年，雖然我們必須要多負擔那幾千塊錢的學費（私立中學的學費比公立大學貴不只一倍）。

這一年之中，他完成了兩件心願。他有機會與他初中二的同學有兩個星期的旅行，到不同的地方觀光，研究華盛頓州的一些歷史和地理。第二樣就是他想參加一個數學比賽，這他也做到了，代表了華盛頓州去參加全國的數學比賽。不久，他就以同等學歷進大學了，進了大學之後，當然就沒有問題了。

上述所說的大概是我們四個孩子學習的過程，你會發現每一個人都不一樣。最可憐是老大，因為當時的父母親還沒有什麼經驗，不知道如何處理。常常都有突發的問題，又要手忙腳亂的才想到一些辦法，所以他讀得亂七八糟。還好他是進度非常快的一個孩子，吸收力非常的強，正如那位心理學家所形容的，他好像一個海棉，碰到什麼東西就吸收什麼東西。在我自己來看，我們四個孩子的學習速度，應該是老大學得最快，可惜當時也是父母親最沒有經驗的時候。

希望各位父母親，你們可以用我們的經驗作參考，就不需要去誤解你們的老大了。

●今天聽到很多教養的原則，能不能給我一個教孩子的大綱？

可以的！我給你四點的大綱，以後回答問題的時候，我才仔細講，現在只是大綱。

第一、認識你的孩子；第二、了解問題的原由，了解為什麼會有這個問題；第三、實行愛的教育，以後，我們會解釋什麼是愛，怎麼樣去實行；第四、直奔成功的標竿，你要知道成功的標準，向著這個目標去發揮。這四點就是教孩子成功的大綱。

●回答的原則

在不同地方的講座，我們都有收到聽眾的很多問題。他們曾要求，可不可以把這些問題收集起來，給他們一些回答，可以幫助他們面對不同的教養兒女問題。

我先稍微介紹一下我們家庭的成員，再整理出回答問題的原則。然後，我會先回答一些主要、普遍性的問題，就是多數人會問的問題，以後再回答不同年齡層的孩子、或比較針對、注重性的問題。如果還有問題的話，可以再給我。在不同的講座之中，我多數希望他們把問題寫下來，一方面可以節省發問和回答的時間，另外一方面我也可以把這些問題收集起來，讓其他的父母親也一樣從裡面的問題得到幫助。在這裡先謝謝你們，讓我知道你們的問題，叫我知道怎麼樣來面對你們的問題。

我們一家有六個人。我丈夫是學醫科的，在香港、北美行醫多年。我本身專於生物化學，曾在不同的學校做了一些的研究。兒女四位都在九至十二歲考進大學。老大，十歲開始在大學唸書，在十三歲的時候得到數學學士，之後再得到他的電腦碩士和電腦博士學位。老二，九歲時曾經修了一些大學的課程，在十四歲的時候才正式的進入大學求學。她十九歲時得到音樂文學士與化學理學士，之後再得到遺傳學碩士與教育心理學碩士。老三，十四歲開始在大學唸書，在十八歲的時候得到生物、生物化學和化學的學士。然後，她在哈佛醫學院同時完成了她的醫學與生物化學雙博士學位。最小的老四是在十三歲時開始在大學唸書，在十八歲的時候得到數學與電腦學士。之後得到數學碩士，他現在正在攻讀他的電腦博士學位。四個小孩分別在九歲與十二歲之間就已經有資格可以進大學唸書，但是我們儘量讓他們遲一點才進去。

我丈夫的興趣很廣泛，除了醫學之外，他也喜歡數學、音樂等。我本身的興趣也是非常廣泛，差不多什麼東西都喜歡。我從小就很喜歡教書，對教育方面感到很有興趣。無論是教書、輔導、音樂、數學、科學、文學，我都喜歡；我也修讀過一些心理學。我們的時間有限，總不能把所有的興趣都讀上一個學位，但是在私下倒是可以很自由的去學習。老大的興趣不但只是在數學和電腦方面，對科學如物理、化學、生物、醫學等等都非常有興趣，也對歷史、地理等有興趣。他喜歡看書，也喜歡各方面的知識。有人曾稱他爲「行動百科全書」，因爲他似乎每一樣東西都喜歡。跟他談話的時候，他幾乎是什麼問題都可以談一談。老二的興趣是在音樂方面，她喜歡跳舞、唱歌。她曾經學過一些舞蹈；也是花腔女高音，可以唱得非常高，非常的好聽，是一個天生的歌唱家；也能彈一手好鋼琴。此外，她對小孩子也很有興趣，也對心理學、科學有興趣。老三的興趣比較專注於醫學、科學方面的研究，她也很喜歡音樂、文學等。她所學的故事很好看，我常把她丟掉的短篇故事收起來。老四也有很廣泛的興趣，特別是喜歡彈吉他，他對音樂、唱歌這方面也都很有興趣。數學、電腦、科學、文學也是他的興趣範圍。我們一家人都有各方面不同的興趣，每一個人也不同。我們回答問題的時候，可能會運用我們家裡的一些例子，讓你們做參考。

怎樣把你的孩子教得成功？讓我們先簡略的講一講回答的原則。

第一、我們要先認識孩子。這個孩子是誰？他是怎麼樣來的？他有什麼的潛能？他有什麼的才幹？他有什麼的特點？他的身體跟別人有什麼不同，比如他的外貌、他的身材、他身體的運作，哪一方面是最靈活的？關於他的頭腦方面，哪一方面是他的能力最多的地方，哪一方面是他比較少才能的？我們都要知道。我們在研究孩子的時候，就像研究其他的東西一樣，要花時間來研究他。不單是他的知識，甚至他的性情也很重要。我們要知道這個孩子的性情是怎麼樣，才可以照著他的性情決定他的學習方法，幫助他學習。他喜歡常常有改變，還是喜歡沒有改變的？他做事時是快的還是慢的？他做決定是快的還是慢的？他的思考方法是怎麼樣的？這些都是我們需要注意的。

我們也需要注意他的感情。他是不是一個快樂的人？這是非常重要的，因為在學習的過程之中，一個人必須是快樂的。如果學習得不快樂，他就很怕學習了，在這方面我們要特別注意。有一些人的教法是用打、罵的，這樣他的學習環境就不快樂了。我們要給孩子的學習環境，是一個快樂的環境，是一個享受愛的環境。我們要研究他的頭腦、感情、個性方面，給他一個最好的學習環境，讓他在學習的時候，享受整個學習的過程。我們還要認識他的心靈。小孩子與成人一樣，還有靈這一方面。他是健康的，還是不健康的，這些都要處理。

如果我們認識孩子，我們要教他時就很容易了。就如你種花，當你知道了這一類的花需要多少水、多少陽光，適合什麼性質的泥土，成長時所需要的環境因素，你種的時候就容易多了。如果我們不懂的話，給喜歡酸性的花一個鹼性的環境，啊呀！它就好苦了。為喜歡太陽的花預備沒有太陽的地方，它就一點力量也沒有了。讓喜歡在陰涼處的花曝曬在太陽之下，那也很苦，它很快就會枯乾了。

我們必須要去研究，這個孩子生來是怎麼樣，才能給他一個對的環境。對孩子的認識方面非常的重要，你要認識你的孩子。認識孩子是誰的責任？當然老師也有責任，但是最有責任的是作爸爸與作媽媽的，你們的責任最大了，也最有權利來幫助你的孩子，也最可以享受教養你孩子過程之中的喜樂。我希望各位父母親把你們教孩子的過程當作是享受，而不是苦差事；是真正愛的交流，享受你給他的愛，享受他給你的愛，享受兩人在一起成長的喜樂。

第二、我們要知道孩子出了什麼問題。爲什麼孩子會不聽話？爲什麼孩子不喜歡學習？爲什麼孩子有各方面反叛的現象？我們要知道他的問題何在，爲什麼他有這些問題？就如去看醫生,他不只是單單的給你一些藥,他還要給你診斷，是什麼原因造成這個病。教孩子也是一樣，我們也要知道他問題的來源，問題的徵狀是什麼？爲什麼會有這些問題？

第三、我們要曉得怎樣來補救，怎樣來醫治。怎樣來減少這些問題,或是更好的避免這些問題。在孩子還沒有出生，或是還很小以前，我們應該盡量預防、避免這些問題。如果孩子大了，我們只好是盡量的醫治，當然效果就沒有那麼好了，無論如何我們會針對這一方面來幫助各位。

第四、什麼叫做成功？怎樣邁向成功的道路？你要教孩子成爲一個成功的人。我們必須要知道什麼叫做成功？怎樣邁向成功的道路？

以上所提到的，就是教養孩子的四個原則。我希望能更仔細的講解這四個原則。

一、認識孩子

首先，我們要知道我們的孩子是怎麼樣的一個孩子。有一些孩子生得很高，有一些則長得比較嬌小。如果你的孩子是比較嬌小的，你會覺得怎麼樣？你是不是鼓勵他去運動，讓他可以長高一點呢？或是，你說「最好去打籃球，你看打籃球的人都那麼高」。如果你是這樣的講，你就犯了兩個錯誤。

第一個錯誤是，運動與體高沒有真正的關係。一個孩子有多高，是由他的遺傳基因決定的，這遺傳基因當然是從父母親來的。除非你的孩子長期處在饑荒之下，家裡沒有食物給他吃，才會像植物種在一點點的泥土之中長不大。如果你的孩子不是在饑荒的狀況下，你家裡也有足夠的食物給他吃，你的孩子長多高，是他本來應有的高度，運動並沒有辦法幫助你的孩子長高。

第二樣更有問題了。當我們說你去運動就會長高，我們已經給孩子一個錯誤的觀念，就是高比矮更有價值。事實上，高是不是比矮更有價值呢？當你仔細的想一想的時候，你會發現並不是這樣。世界上有高的人，也有矮的人，有一些事情高的人做比較方便，有一些事情矮的人做比較方便，所以高有高的好處，矮也有矮的好處。

我們應該做的是，讓我們的孩子知道，無論他是高是矮，都有同樣的價值。高沒有增加他的價值，矮也沒有減少他的價值；高沒有減少他的價值，矮也沒有增多他的價值。

他是老大嗎？是老二嗎？是老么嗎？或是老幾的？這也不應該對他有任何的關係。有一些父母親對大的特別的疼愛，或是對小的特別的疼愛，所以就產生有所謂的排行問題。

事實上，每一個孩子都應該是有同樣的價值。當你有不只一位孩子的時候，你就要讓老大、老二……都知道他們的價值是一樣的。當我們幫助他們互相欣賞個別的不同才幹時，他們也會彼此知道，「你是值得我尊重的，我也是值得你尊重的，我們可以彼此尊重、彼此愛護；雖然我們有不同的才幹，雖然我們的身材不同，雖然我們的外貌不同，但是我們都是同等的價值」。

我們也必須知道他們的學習方法。在老大一歲半的時候，我開始讓他學習英文的字母和一些中文字，我發現他很快就學會了。他學英文的時候，能同時掌握一個字的拼音與認出它的字母組合，學得特別快。英文的字母和中文字可以同時學習，因爲它們都是同類。比如他認得什麼是一個杯，可以同時教他中文或英文了。如果他認得某個物體的樣子，他就可以開始學習文字了。因爲每個中、英文字，都有它個別的樣子。

我們的老大兩歲多時開始讀書。在兩歲多的時候，他收到一份舅父舅母送的聖誕禮物，是一本小孩子的字典。我接到禮物的時候，我曾懷疑這本字典對他有什麼用處。這本字典裡每一個字都有附圖，比如在 alligator 之下就有鱷魚的圖畫，然後下面還附上一個有那個字的完整句子。很奇怪的，老大就從這本字典學會了看書。他自己把字典裡所有的字都學會了！只有問過我一個字，那個字是沒有附上圖畫的，大概他就想不出這個字的意義。你猜這是什麼字呢？原來這個字是 nothing ，是「沒東西」的意思，所以無法用圖畫出來。

在他差不多七歲的時候，我發現他還有一個很明顯的表現，就是他有很快的認圖能力。有一個電腦遊戲，會在銀幕上一點點的顯示出一些顏色，讓你從中猜出這圖畫是什麼。

比如說圖畫是一輛汽車，它會一點一點的顯示出一小部份的顏色，你猜到的時候就要趕快按停，看看你猜得對不對。我發現他每一次都比我更快的認出，在我還沒有辦法看出是任何東西的時候，他就已經看得出來了。我想這天份，讓他很容易的學習語言。

他在很小的時候已經會講閩南話了。在七歲之前，他也已經聽懂普通話（華語）和廣東話（粵語）。在一個有很多來自中國的客人的場合裡，他們都用普通話交談。講到很好笑的時候，大家都大笑了。老二、老三就問哥哥，他們在笑什麼？哥哥就翻譯給她們聽了。我們才知道原來他已經聽得懂普通話了。另有一次，我們參與一個講廣東話的聚會。我很奇怪的發現到，老大竟然知道聖經要翻到什麼地方，原來他也學會了廣東話。

回想起來，我就發現他是從我們的談話中學習到普通話與廣東話。雖然在家裡是講閩南話，但是有時候來了講普通話的朋友，我們就跟他講普通話了，老大很喜歡跟大人在一起，大概就是從中學習的了。廣東話是怎麼樣學的呢？他小的時候坐在車上，累了就想睡。如果他聽到爸爸、媽媽講到一些有興趣的題目，他就不要休息，逼著自己仔細聽，結果常常因精神不好就想吐。爲了避免他在這個情況下醒來，我們在他累、快要睡時，我們以他不懂的廣東話來談話，以便不引起他的注意。可能是在這樣的情況，他學會聽廣東話了。

十歲的時候，他在大學裡也開始讀德文和法文，我們發現他學得非常的容易。這一類的孩子（可能你的孩子也是一樣）學語言特別快。當他們知道怎麼樣分析這一個語言，就可以很快的掌握它。

老二喜歡唱歌，從小就喜歡唱歌，喜歡跳來跳去，喜歡跳舞，她的學習方法當然是偏向用耳朵式的。她聽到的，她就容易學到，可能她也喜歡身體的動作，這樣她的學習方式就是很不同了。你必須讓她可以聽到，比如說學鋼琴的話，她要聽見人家彈了，她就很容易彈出來，可能她的耳朵是她最靈敏的地方，她的學習需要靠她的耳朵。她也藉著她身體的動作、她做過的東西來學習，比如說彈鋼琴，只要她手指彈過了，她就會了。這些都是老二的學習方法，與老大不同。

老三的閱讀速度非常快。有時候，我們在一起看雜誌，我就無法好好享受閱讀了。我才看了半面，她卻已經看完兩面了，要翻過去了；我只看了半面嘛，所以常常沒有辦法再看了，不然她要等我很久才可以繼續讀。有一次她告訴我，閱讀不需要每行、每個字都看，只要中間幾個字一起看下來，旁邊的字會自己連起來、跑進來的。這是她告訴我的辦法，她只須從上到下的看下來，不用像我們這樣的從左到右、從左到右的看。她的記憶力很好，她看過的東西幾乎都可以記得。當我用她的辦法來看書的時候，倒是沒有用。我如果只看中間幾個字，從上看下來，我不知道我在看什麼，旁邊的字都連不起來。她的學習方法與我不同，她的眼睛看得很好，要她學習的話，就需要給她看。

老三也是左手方便的。她小的時候，我曾經做過好幾次的實驗，才確定她是左手方便的人。我常常故意把她的勺子放在她的右手邊，她總是馬上用右手把這個勺子拿起來交給左手，然後才吃飯。我想，她大概是真正左手方便的人，就讓她自由去用左手，尊重她生來就是這樣的。由於她是左手方便，所以我想她彈鋼琴不會有特殊的表現。鋼琴是右手的樂器，彈奏時多數是右手多一點動作、右手快一點的，所以左手方便的人多數無法彈得那麼好。我們對她就沒有這方面的期望了！

老四又是另外不同的一個人。他的特點就是他學習比較慢，講話比較慢，記憶力比較不好。在四歲時才開始懂得簡單的字，到六歲的時候才開始每天讀聖經。

老四的個性是不喜歡轉變，只喜歡熟悉的東西，比如喜歡舊的衣服，穿慣的鞋子。由於他不喜歡改變，所以我們要特別的注意到這一點。比如你要買新的衣服給他穿，就要早一點買，讓他看慣了，掛在他房間裡頭，讓他跟新的衣服「做朋友」，認識了之後，他才穿上。鞋子就要買大一點了，免得等他看慣了之後，已經不合穿了。

他講話慢，可能是因爲他的聲帶比較粗壯，動起來比較慢。他的記憶力不好，但是後來我們也發現他是要有理由才可以記得。你憑空給他一些空空洞洞的名詞，無法聯想，他就無法記得了。比如他常常無法講出「紅色」這個字，只說是櫻桃的顏色。

我們認識我們的孩子，我們尊重他們。當我們觀察孩子的時候，發現他們每一個人都不同，所以必須花很多時間來研究他們。你的孩子是怎麼樣的呢？請你花時間來研究他。以後我們回答問題的時候，我們會用這個原則。你的孩子是怎麼樣的？他的讀書方法是怎麼樣的？他的個性是怎麼樣的？他的感情是怎麼樣的？他的思想是怎麼樣的？他的心靈是怎麼樣的？

爲什麼我們可以說這樣的教法是對的呢？因爲這是照著真理的教法。什麼是真理呢？真理就是永遠都是真的事情，比如地心吸力、萬有引力，雖然我們不知道實在是什麼東西，但是我們知道這描寫是真的，因爲它永遠都是這樣發生的。牛頓描寫給我們說，水果會從樹上掉下來，它總是掉下來；它沒有掉到旁邊去或往上去，它總是往地面掉下來。

他把這個現象用「地心吸力」或是「萬有引力」來描寫。我們發現他的描寫是真理，因爲無論是誰，都可以看見東西往下掉。在地球上面，你都看到我們丟上去的東西一定會掉下來。這個被描寫爲地心吸力的現象就是真理，因爲它是長遠發生的，沒有一次例外的。

人也有人的真理。人的真理是什麼呢？如果我們抓住了真理，我們的教導就很有效了。剛才我描寫的人的真理：「每一個人都不同」。我怎麼知道每一個人都不同呢？你前後左右看一看，你所認識的人有哪兩個是完全一樣的？你可能會說是雙胞胎。但請你仔細看一看雙胞胎，有哪一對雙胞胎是完全一樣的？事實上是沒有的。我認識的雙胞胎，不但身材高低不同，而且他們的興趣、個性、學習方式可能很不同。沒有兩個人完全一樣，每一個人都是特別的，這個是真理，從來沒有看過兩個人是完全一樣的。當我們照著這個真理來教的時候，我們的孩子就很快樂，而且你也會發現效果很好。

關於人這方面的真理還有很多。到底這些真理要往哪裡去找呢？當我在大學的時候，我曾經用了好幾年的時間來尋找這個答案，結果我找到了有關於人的真理。這些真理在什麼地方呢？在古代人的頭腦裡嗎？或是現代人的頭腦裡？在西方社會？或是在東方社會呢？都不是！關於人的所有真理，就像一部機器的真理一樣，真理是根據設計者。

比如你買了一部汽車。有一部汽車可以代步，不是很舒服嗎？這部汽車的真理是誰決定的？我們可以發現這部汽車的一切，都是設計汽車的那一位來決定。它要用汽油或是柴油、酒精，或是什麼燃料，都是由他做決定。他說這個機器要用汽油，我們買了汽車後，乖乖的就用汽油了。他說汽油是要放在後面的油箱裡，我們加油的時候，乖乖的打到後面油箱裡去了，不可以隨便放，不然車子就走不動了。

一部機器的真理是由它的設計者決定，一個人的真理也是這樣。到底人有沒有設計者呢？我在讀書的時候，常常有這種的學說，說我們並沒有設計者，只是碰來碰去、自然而然就成為人。當我研究科學的時候，我就發現這並不是真的，科學的事實從來沒有給我們看見，隨隨便便碰來碰去，沒有頭腦、沒有計劃的東西會是整整齊齊的。不要說是身體這麼複雜的東西，就是簡單的一個杯子、桌子、房子都必須要有它的設計者，都必須要用頭腦智慧才可以製造出來的。我們在海灘撿石頭時，我們找到自然而然被水、沙磨亮的石頭；如果找到上面有刻像的，一定是雕刻出來的，像是要用人的頭腦設計出來的。

我研究的時候，發現科學的事實與科學家的意見往往不是同樣的一回事。我們在書上所讀的，有時是科學家的意見，而不是科學的事實。當我們看科學的事實時，我們發現人是有設計者的。這位設計者是誰呢？這位設計者所講的話都是準確的，這本古代的書，它的內容從來沒有被人增加或刪減，這本書叫做聖經。它所介紹的創造是「各從其類」，人永遠是人類，而不會變成其他類別。同樣的，猴子、猿猴、大猩猩，牠們是跟著牠們的類，不會變成其他的類別，甚至單細胞的細菌也是跟著自己那一類，各從其類，大腸菌沒有變成別的菌類。這是聖經強調的第一樣創造原則。

當我們看科學的事實，我們就發現原來每一類都有一個範圍。聖經裡頭「類」這個字，就是有一個範圍的意思。我們發現每一類都有一個範圍，人類有人類的範圍，在這個範圍之中有高、有矮、有胖、有瘦、有白頭髮、有黃頭髮、有黑頭髮，有不同的表達，但還都是在同一類裡面。雖然有法國狗、德國狗、長毛狗、短毛狗，但是牠們逃不出狗類的這個範圍，永遠都是狗。這些所謂的德國狗、長毛狗都是從狗的遺傳基因裡，選擇了某些遺傳基因、某些特點，但是這些永遠都不能離開狗類遺傳基因的範圍。鱷魚永遠是鱷魚，青蛙永遠是青蛙。事實上，我們看見聖經所講的各從其類確實是科學所支持的。

二、問題何在

聖經給我們的第二個原則：被造的時候都是造好的。這樣，離開了原來的設計就不好了，離開得越遠就越不好了。因此，如果有改變的話，應該是越變越壞。進化論卻告訴我們越變越好，事實是支持哪一說呢？事實確實的告訴我們是越來越壞。爲什麼我們要保護我們的環境呢？是讓它不要變壞。如果是越來越變好的話，那就讓它自己自然而然去變好了。但是我們發現事實相反，沒有智慧把資訊加進去，沒有用頭腦來保護它，它會越變越壞。

聖經當然還給我們很多可以查考、實驗的東西。我只把重要的兩點告訴你們，就是各從其類、開始的時候創造是好的。我們認識我們的孩子就必須要從他的創造者造他的事實來認識他。我們不能改變孩子，創造者造他是怎麼樣，他就是怎麼樣；造他應該身材高的話，他就高；應該矮的話，他就矮；造他的頭腦應該數學好，他就數學好；造他應該音樂好的話，他就音樂好。你不能改變他。

聖經一開始就告訴我們，這位大能者造我們及祂的創造原則。我們的設計者，聖經所介紹的這位大能者，從不顯明的東西造出我們看得見的東西，祂可以把看不見的能量變成看得見的物質。事實上，直到二十世紀，通過愛因斯坦的 $E=MC^2$，我們才了解能量和物質是一個等號，能量和物質是可以彼此對換的。原子彈證明我們可以把物質變成能量，但是人還沒有辦法把能量變成物質。聖經所介紹的這位大能者擁有所有的能力，所以祂可以創造，可以把看不見的能量創造成看得見的物質。祂把看不見的變成看得見的。祂造了天 — 空間；地 — 物質。起初神創造天地，這是聖經的第一句；之後它描寫創造了各樣的東西，各樣的活物，最後才造了人。如果我們要認識我們的孩子，我們就必須知道這位創造者造他是怎麼樣的。

我們同時也可以藉此教孩子對自己有一個健康的自我形象。當他知道這位創造者愛他，對他所懷的是降平安的意念，而不是降災禍的意念，他一定會有所回應：「我也要這一位創造者，也要請祂給我力量，讓我有能力可以做很多的事情；我要請祂給我智慧，因爲祂有全宇宙的智慧！」祂創造了宇宙，祂就像車子的製造者，知道這輛車的機器是怎麼樣的。雖然我不明白車子的結構，但是只要照著他所講的，我的車子也開得動。他說要用汽油，我就乖乖去買汽油了；他說汽油要放在油箱裡頭，我也就乖乖聽話了；他說前面這裡要放水，我也聽了；他說這裡要放滑機油，我也照著做了；他說要用這個鑰匙，我也用了。雖然我真的不懂得汽車的機器，但是因爲我聽話，所以可以開動汽車。

這位宇宙的創造者造的每一個人都是不同的，所以我們要尊重彼此。觀察你的孩子就可以得到創造者造他的真理。當我們照著真理來處理的時候，很多的問題都可以解決了；父母親就不會把兒女看做是自己的附屬品，喜歡打就打，喜歡罵就罵；作父母親的會把孩子看爲是有價値的，因爲創造者是照著自己的形象來造他，給他人的尊嚴、人的價值。聖經說，人算什麼，但是創造者竟然看重他，祂用榮耀爲冠冕賜給人。當父母親尊重孩子的時候，也會教導出弟兄姐妹之間的彼此尊重。父母親彼此尊重，孩子就會聽到，也會看到，他們就知道怎麼樣彼此尊重。他們不會比較，因爲知道創造者所造的都不同。

兄弟姐妹之間彼此尊重、彼此欣賞，就除去了一大堆的問題。孩子，不論是老大、老二、老三或是排行第幾的，不論生來是男的或是女的，他們都有同樣的價值。當我們知道這是真理的時候，作父母的就不會重男輕女，也不會重女輕男，就會照著真理來處理，讓他知道他是誰。也不會像某一些家庭，給男孩交學費，讓他去唸大學，女孩子要唸就要自己想辦法了。當我們的孩子被個別的尊重，照著真理被尊重的時候，他們就會尊重自己，他們會自愛，他們也不會自暴自棄。

我們孩子的才能不同，無論是那一方面的才能都是好的，因爲聖經告訴我們，上帝所造的都是好的。我們就不會說，像我的才是好，或者是讀理科的才是好，或是要讀醫學才是好；圖畫畫得好的，我們欣賞，音樂好的，我們也懂得欣賞，這樣我們才可以幫助孩子，發展他從創造者所得到的天份。

男女都是上帝所造的，所以是平等的。這樣，兒女看自己是有意義的，會接納自己的外貌、身材，接納自己的個性。當他們對著鏡子的時候，會說，感謝天父，祢造我當然是最好了，因爲祢比我聰明；祢是造宇宙萬物的，祢的智慧那麼大，祢把我的鼻子造成中國人的鼻子，我的頭髮造成中國人的頭髮，對我一定是最好了！他就會尊重自己、接納自己，也會尋找上帝給他的才能而發展之。他不會跟人家比較：爲什麼我的數學沒有哥哥那麼好？我唱歌沒有妹妹那麼好？

要知道他的才能、個性，做事情、決定是快還是慢。有一些人做決定時要慢慢來，要有很多資訊，才可以做決定。有的人一下子就可以做決定。哪一種好呢？各有各的好處。比如，做決定很快的人，可以作一位很好的外科醫生。病人已經用了麻醉藥，肚子已經打開了，外科醫生需要很快的做決定。如果他是慢吞吞的考慮這樣、考慮那樣，考慮了所有的可能性之後才做決定，那可就麻煩了。病人已經躺在那裡，他的腸子都拿出來，這位外科醫生卻把腸子挾來看看，不能做決定，不知道要剪多少，看完全部的腸子才來做決定。他這樣慢吞吞的拿起來看又放回去，看了一兩個鐘頭之後，如果你是病人的話，你就會告訴他，請你快一點吧！

有一些事情要做很快的決定，但是有一些事情卻不可以太快的決定。比如，做研究必須要每一方面都想清楚，才可以做一個決定，才可以寫文章去發表，不然可能他的文章很快就會被送回來，或者人家找到很多還沒有做的實驗。做事情的辦法不一樣。創造者是滿有創造性，祂造的每一個人都不一樣，我們的孩子也是不一樣的。

孩子怎麼會自愛呢？除非他說，「我的創造者愛我，祂造我就是這樣，祂造我有這方面的才能」，他才會愛他自己。一個人如果懂得自愛，他才懂得愛人，他的人際關係才會好。一個人必須要先愛造他的這一位，祢造我一定是最好了；他不會嫌鼻子太大太小、眼睛太細太圓、或高或矮、或男或女。他愛己，認爲創造者是最有智慧的，祂造我一定是最好的。懂得自愛，也會愛人了，因爲他與自己和平了，他與創造者和平了，接納創造者所造的。他知道創造者比他聰明而且是愛他，接納了創造者的所造，就接納自己，他才可以接納其他的人。這樣，人際關係才會好，人生也有意義，因爲他有一個目標，完成創造者造我的目的。

我們必須要了解，當你覺得孩子不聽話，你要問爲什麼不聽話？其實，我們也必須要自己想想，爲什麼我要我的孩子聽我的話？仔細想想的時候，你就不敢這樣認爲了，不敢要你的孩子聽你的話。請問，你的話是不是十全十美？你有沒有錯的地方？如果你有錯的地方，爲什麼還要孩子聽你？我不要我的孩子聽我的話，而是聽那位永遠不會錯者的話。誰是永遠不會錯的？誰有宇宙所有的真理？當然只有創造者，祂有宇宙所有的真理，所以我要我的孩子聽從天父創造者的話。

孩子的對與錯由誰決定呢？按照誰的標準呢？不是照著我的標準，對與錯是按照創造者定下的標準。地心吸力不是我定的，是上帝定的，是創造者所定的，我可以做什麼呢？我只要聽祂，而不是從十層樓跳下來。我們的孩子知道真理之後，你很容易解釋給他聽，爲什麼不可以從高的地方跳下來？如果他聽懂了之後，他知道你愛他，不願意他害己、害人。孩子了解你的愛，你把真理告訴他，他當然會聽從真理了。很多時候孩子不聽從我們，可能是因爲我們講的不是真理，我們講的是我的意見，有時候可能是錯的。讓他聽從這位創造者的話。

決定善惡，不是我的事情；我不能決定地心吸力是好的還是不好的。既然創造者已定下來了，我喜歡或不喜歡，不能改變它。既然上帝定了地心吸力，我們就遵從祂所定的真理。聖經給我們一些人際方面的真理，我們可以遵從的。比如孝敬父母、不可以殺人、不可以姦淫、不可以偷盜、不可以作假見證陷害人、不可以貪心，這些都是創造者所定下來的真理。既然是祂定的，我唯有聽從，我的孩子也要遵從，這樣我們就得到最好的了。

孝敬父母和孝順父母是不同的。孝敬父母是尊重父母；父母親錯了，我們還是尊重他；父母親老了，我們還是尊重他。你有沒有尊重你的父母親？可能你會說，他們沒用了，不能生產了，不管他了；或者，養活他們就是了。我們有沒有尊重我們的父母親？我們有沒有看我們的父母親爲可尊重的、有價値的？當孝敬父母，我們要用我們的言行來教導孩子孝敬父母。孝順父母則是唯父母命是從，這當然不是真理，因父母沒造宇宙，他們也會有錯誤。

不可以殺人。我們有沒有教我們的孩子，生命是創造者所造的？孩子的生命不是我造的，而是創造者造的。聖經提到的生命，包括年輕、年老、男、女、頭腦好或低能的，已經出生的或還沒有出生的。他們都是人，既然是人就有人的尊嚴，我們都不可以殺人。聖經詩篇一百三十九篇講到，我還沒有成形的體質，創造者已經見到了。「我還沒有成形的體質」，就是還在媽媽的肚子裡的時候，還沒有人的樣子之前，天父早已經知道。我還沒有在世界度一日，祂已經寫在冊上了；還看不出是人的樣子，已經是人了，上帝知道他是人。今天的科學告訴我們，人的第一個細胞就決定他是人，不需要等他成爲一個人樣的時候，我們才知道他是人，因爲人類的遺傳基因已經決定他是人。還沒出生，創造他的已把他登記上冊，註了冊，有戶口了。

我們孩子有什麼問題呢？與我們一樣，是自我中心，自己分別善惡，自定標準。這是創造者不要我們做的，因爲祂知道我們沒有智慧來自定標準。祂告訴我們的老祖宗一亞當、夏娃，只有一樣事情不可以做，不要自我分辨善惡，不要自己決定什麼是善、什麼是惡，什麼是好、什麼是不好。這些都是創造者決定的，不是我決定的，因爲我沒有資格。如果我們搶奪創造者的地位，「我不聽祂的話，我要自己決定什麼是善、什麼是惡」，就不理想了。我們的祖宗選擇要自己分辨善惡的時候，我們的世界就不理想了，因爲他們像我們一樣是不夠智慧的。

每一個人的問題都是由自我中心而引發的，孩子不聽話當然也是因爲自我中心了，你要孩子聽你的話也是自我中心。我們應該做的是，全家聽從這位創造者的話，因爲只有祂沒有錯。如果我們不認我們的創造者，說我們是自然而然拼出來的，那我們就已經走錯路了，跟著下去的就一定會錯。我們的孩子也是一樣，我們要幫助他嗎？幫助他不要自做主張，幫助他由自我中心成長至沒有自我中心，以創造者爲他的中心。

造我的說，什麼對我是好，我就做；對我不好的，我就不做。「不可以殺人」，我就不殺人；「不可以姦淫」，我就不姦淫。創造者不要我們淫亂。什麼是淫亂呢？夫妻之外的性行爲就是淫亂。什麼是夫妻呢？聖經中已說明，一男與一女的結婚，在上帝面前立約，就叫做夫妻了。除婚姻之外，性的功能不可以用在任何的地方！就像汽油一定要放在油箱裡，放在車子其他任何的地方，就會把車子燒掉了。發揮性功能的地方就是婚姻，婚姻的定義是男與女，一男與一女；當然不是一男、二女；二男、一女；或是一男、一男等。

不久之前，時代雜誌有一篇講到女人身體的文章告訴我們，我們是猴子變來的，在弱肉強食中競爭而生存。如果女人要生存的話，她就要生多一些孫子才最容易生存。因爲進化論本身的定義，適合生存就要有最多孫子（單單一代還不夠，還要可以生下另一代，這樣才有用）。還附上一個圖畫，一個女人坐在四個沒有穿衣服的男人身上，你想這個對嗎？他們是錯誤的！根據進化論看法的作者竟然強調，這樣就擔保女人可以繼續生存，因爲她有很多孫子。

這是可怕的想法，相信進化論的人相信「弱肉強食，適者生存」」。哪一個適合呢？打勝人家的，就適合生存了？我們的創造者當然不是這樣講。祂設計的時候都是好的，所以盡可能不要變，變的越少就越適合生存。祂要我們治理這地，保護我們的空氣，保護我們的水，保護我們的地，讓它不要離開原來的設計；祂要我們保護自己的身體，避免用一些會讓我們的遺傳基因改變的東西，好像X光、紫外線、各種會引起變化的藥物，這些都是對我們不好的。創造者說祂造的時候是最好的，所以我們幫助孩子認識創造者造他是最好的，越改變就越不好。當他們不說「我自己要做決定」，而是尋求創造者的標準，你的教導就成功了。

三、愛的教育一醫治和補救

怎樣可以把孩子教得成功呢？怎樣可以幫助他們聽從創造者呢？我們還是要回到創造者給我們的辦法。機器弄壞了之後，怎麼辦呢？汽車應該是用汽油，我們卻用了汽水，所以就壞掉了。我們應該做什麼？拿回去工廠，請設計汽車的把它修理好。同樣，當人自做主張，離開創造者的標準之後，我們打來打去，彼此殺害、姦淫、偷東西、搶東西、作假見證陷害人、貪心，我們人類已經越來越糟糕了，怎麼辦呢？送回工廠。祂的辦法是怎麼樣呢？創造者自己來到這個世界，以人的樣子，讓我們可以認識祂，讓我們可以知道祂愛我們，然後祂說，「你的不理想由我來承擔」。

我們的不理想有什麼結果呢？像球在彈一樣。你試試看在你鼻子一樣高的高度，放下手中的球，它會有什麼結果呢？它就掉在地上，跳回來的時候沒有你鼻子那麼高了，是比較低一點了。第二次再彈起來，更低了；第三次，又更低了；

最後，它就死了，不動了。如果每一次都無法跳到百份之一百那麼高的話，它的不理想結果就是死亡，我們也是如此。

我們的創造者說，我來承擔你的不理想，祂就在我們的歷史中出現。今天我們用來計算年份的「公元」就帶有「我們的主的年」的意思。公元 AD 是拉丁文 Anno Domini 的縮寫，就是我們的主的年。比如說公元 2000 年，意思就是我們的主的年二千年（就好像以前中國的年曆，比如清朝時的乾隆十六年，就是乾隆作了皇帝的第十六年）。全世界都公認耶穌的歷史性，所以公用的年代就用耶穌基督降生的年代。

耶穌來到世界的時候，很清楚的讓我們看見祂是創造宇宙的這一位。耶穌的出生，祂做的事情，祂的死和死後復活，這一切的事情在聖經早就預言了。這位從天上降下來的創造者，祂取了人的形狀，被差遣下來（基督 — 受膏者，奉差遣之意，耶穌意救主）。這位救人的、從天上來的耶穌基督，來到世界的時候，祂所做的都證明祂是創造者。比如，祂講一句話就醫治人的病，祂講一句話就勝過靈界的存在者（污鬼），祂講一句話就可以控制我們的「自然界」，平靜風浪。祂可以行在水面上，因爲祂創造地心吸力，祂可以管理；祂可以叫死人復活，因爲祂是生命的主宰，生命是祂造的，也是祂管的。

不但如此，祂還可以從死裡復活，祂預先說那些宗教領袖會把祂殺害，在第三天祂要從死裡復活。結果祂實在是這樣，第三天從死裡復活。那些看見祂被釘在十字架上死了的人，也看見祂第三天復活，正像祂所講的。敵人也知道祂講這句話，所以派了很多兵丁圍著那個墳墓看守，但是時候到了的第三天，耶穌從死裡復活，兵丁都嚇得魂不附體。耶穌基督實在從死裡復活，耶穌所做的事情在歷史上有記載，在聖經裡也有記載。祂所做的事情，證明祂是宇宙的創造者。我們要幫助我們的兒女回到「工廠」，接受這位創造者作他自己的主宰，與創造者建立個人的關係，把生命的主權交回給造他的那一位。

祂比我聰明，祂比我有智慧。因爲祂創造了宇宙，當然比我更有智慧。聖經說，祂的意念高過我的意念，祂的意念如天那麼高，我的意念如地這麼低。祂愛我們，耶穌基督在世上的時候，祂所表現的都是愛。我們把生命交給祂管理，當然是最好的了。聖經說，祂向我所存的意念，是賜平安的意念，不是降災禍的意念，要叫我有指望、有前途（耶利米書二十九章）。當我照著愛的源頭所給「愛的真理」來教孩子，方向就對了。

四、成功的標準

最後，什麼是成功？我們如何教導我們的孩子成爲成功的人？誰決定我們的成績？聖經說，「人人都有一死，死後且有審判。」誰是我的審判者呢？祂怎麼樣審判？誰給我打分數？我的同學給我多少分都沒有意思，給我一百分也沒有用，給我零分也沒有用，因爲只有老師給我的分數才有用。我們人生最後的審判、最後的分數、最後的大考，誰給我們分數？是我們的創造者！

聖經說，「世人蒙昧無知的時候，上帝並不鑒察，如今卻吩咐各處的人都要悔改，因爲祂已經定了日子，要藉著祂所設立的人，按公義審判天下，並且叫祂從死裡復活，給萬人做可信的憑據。」審判我們的是這一位，是按公義來審判的，祂是從死裡復活的。世界上歷史的記載，只有一位是從死裡復活，沒有再死的，就是耶穌基督。這是憑據，讓我們知道誰是按公義來審判我們的那一位。幾分才及格呢？什麼叫做及格呢？我們要問祂了。幸虧祂給我們及格的分數是很容易得到，我們只要做到兩件事。

耶穌在世上的時候曾用比喻告訴我們這兩件事。祂說，有一個主人要到外地去做生意，就叫他的僕人來，按著各人的才幹給這個五千，給那個兩千，給另一個一千。主人回來的時候，那得到五千的就說：「主人，你給我五千，我又賺了五千。」主人說：「好，你這又良善又忠心的僕人，你在不多的事上有忠心，我要把許多事派你管理，可以進來享受你主人的快樂。」一百分啦！那個得到兩千的說：「主人，你給我兩千，我又賺了兩千。」主人說：「好，你這又良善又忠心的僕人，你在不多的事上有忠心，我要把許多事派你管理，可以進來享受你主人的快樂。」主人的結論都是一樣的：有五千的，再賺到五千，是良善和忠心的；有兩千的，再賺了兩千，也是良善和忠心的。請看那一位得到一千的！他什麼都沒有做，只把錢埋在地裡。他說：「主人，你給我的一千在這裡。」主人說：「你這又惡又懶的僕人！」這個僕人不及格了。

我們教導孩子，只須兩樣事 — 「良善和忠心」。什麼是良善呢？良善就是照著創造者的善的標準，祂說好的，我們就照著做，祂說不好的，我們就不要做。忠心呢？祂給我的，我盡本份去做。只要做到這兩樣事，我們就及格了。為什麼我們常常講不要比較，因為我們的審判者沒有叫我們比較，他沒有把兩千的和五千的比較。五千的，他得到這麼多，他要做這麼多的事情；兩千的他得到這麼多，他要做這麼多的事情。聖經說，「多給誰就向誰多要。」公道嗎？真是公道。每一個孩子都可以成功，都可以在審判者面前被稱為「好的，又良善又忠心的人」。這樣，當我們的孩子在這個標準之下，他就不需要與人家比較了。他只要說：「我的天父給我什麼，我要用在祢說善的地方；祢給我多，我就忠心的做多，祢給我少，我就忠心的做少。」這樣，他就成功了。

這樣，我們做人非常舒服，我們教孩子也非常舒服。我們只有一樣事情要做，跟著創造者的規定。這位救贖我們的，把我們帶回來醫治，讓我們有一個新的生命，讓我們不會再自我中心。審判我們的是同一位，就是宇宙的創造者。我們人生非常自由，非常舒服，因爲我們只要照著創造者要我們做的就夠了，我只需要聽從祂就夠了。只要我們隨著祂，做可以做的，不做不可以做的，祂應許我們必得到福氣，讓我們的子孫也得到福氣。

我再重複一下，要以創造者的真理來認識你的孩子；無論孩子有什麼問題，都源自人的自我中心；只有創造者才能把我們修理好，給我們新的生命，讓我們得補救、得醫治。減少和避免問題的發生；讓我們的教養朝向忠心與良善的方向。這就是我們教養孩子的大綱和原則了。

我們回答問題的時候，就是以這些大綱、原則做爲基本的架構。當然我的回答可能是有限的，或許你還有新的問題，不過你還是可以照著這些原則來解決你的問題，因爲真理就是永遠的事實，不會錯的！我們也就不會有時候這樣教，有時候那樣教了。以下我們回答一些普遍性的問題。

先天？後天？

●以醫學的立場，不是每一個孩子都能夠成爲天才，是不是遺傳基因有關呢？天才是天生的也靠後天，還是天才需要訓練也靠先天，或者兩者都不可缺乏？什麼情況能加強後天的訓練？

●遺傳的成份對教小孩子成功的影響和重要性是怎麼樣？

●妳有四個天才兒童，是因爲遺傳還是因爲後天的特殊教育呢？或是相輔相成呢？所謂天才是什麼？是指一般的學習能力還是特殊的個人發展？怎麼樣去試試看，看看得不得到？如果你是知識平庸，又怎樣教育發展到個別的極限呢？

●我很好奇妳的四個子女都是天才兒童，那是遺傳的緣故呢還是後天教導有方？還是兩樣都做呢？何謂天才？怎麼樣發掘？怎麼樣教育？請簡單講述一下。如果在智力方面是一般，在學習速度上又應該怎麼樣栽培？

你看到很多父母親的興趣嗎？他們要知道，什麼叫做天才，所謂天才兒童到底是先天的或是後天的，與遺傳基因有什麼關係，是多一點先天再後天幫助，或者後天需要一點點的先天呢？如果他的本質是平常一般的，怎麼樣可以發展到極限呢？

我們把這些問題集合在一起回答。第一樣，我們要知道，什麼叫做天才？很多人稱我們的孩子是天才，我承認他們是天才，但是什麼叫做天才？你是不是天才？「天才」是非常好的詞，就像英文的 “gifted child” 也是非常好的詞。天才是什麼意思？你的才幹從何而來？你的才幹是自己去找來的或是自己買來的嗎？當然不是，你所有的才幹都是天給你的。

我們中華民族從早就知道有天，我們稱爲皇天上帝，就是天上最高的那一位了。在中國的天壇，你可以看見一點點過去的人的一些思想。過去人的思想中有，人應該行天道的觀念，我們應該跟著天來做事情，也確知天是什麼都看得見的。在天壇那裡有幾條大路，中間那一條是國王不可以走的，那是讓天、皇天上帝走的。有什麼意思呢？意思是說，人的至高者 — 國王 — 還是在天之下，他不可以把自己當做天。在天壇那裡，我們也看見獻祭的地方，上面有一頭牛，意思是說他們以前要選一隻牛獻給天。從一些祭天的歌詞和禱告詞裡，又可以發現他們要獻的牛是沒有瑕疵的、是完好的。

最近我們去了一趟天壇，導遊非常好，對中國的歷史很有研究。他解釋給我們聽，國王獻祭的時候，需要換衣服，換衣服時只可以向人遮住，不可以向天遮住。什麼意思？可能你本來就知道了，只不過沒想起而已。比如說，人家問你，這件事情你知不知道啊？你說，我那裡知道，天曉得！爲什麼你會說「天曉得」？原來這一句話是以前一直傳下來的，只有天，才什麼都曉得。我們現在用這句話的意思只是說我不知道，但這句話更告訴我們只有天是無所不知的。還有，我們的話語裡還留著「天網恢恢，疏而不漏」；天是公義的，天是什麼都看得見，什麼都抓得到。我們所用的這些詞句，都是我們中華民族本來有的思想。

我們說，一個國王應該行天道，照著天行事，替天行事。如果國王沒有行天道，據我們民族的文化來說，他就是快完蛋了。我們也可以看到另外一個矛盾，秦始皇要把自己稱爲帝（本來「帝」只是給上帝，給皇天最高的那一位），要把自己當做上帝，所以他就稱爲皇帝。各位都知道在這麼一個暴君統治之下，有多少不公平的事情發生，對嗎？之後，我們發現我們歷史上稱國王爲天子，他是天之子啊，哇！他不是人而已，他是上帝啊。所以，過去這幾千年來，因著我們的掌權者要把自己當做天，要把自己當做上帝，人民就大受痛苦了。

天才是什麼？我們的才幹都是從天來的。原來華人祭天時一些禱告詞裡就向我們介紹，天是「造天、地與人」的那一位。原來華人的天就是創造者，祂創造一切，造天、地與人。祂是造你造我的，我們不是從猴子慢慢演變過來的，我們是天所造的。所以我們文化裡還有一些話語流傳下來：「天生我才必有用」，對不對？我的才幹是天生的，你的才幹呢？我想也是天生吧！你的孩子的才幹呢？當然也是天生的。如果我的才幹是天生的，你的才幹是天生的，你的孩子的才幹也是天生的，請問你是什麼？你的孩子呢？我呢？當然我們都是天才。當我們這個定義抓住了之後，我們就可以告訴人家：你的孩子是天才。

讓我們來看看到底是先天還是後天，你知道嗎？我們沒有辦法知道，我們不能做實驗，因爲每一個人都不同。我們沒有辦法好像實驗室裡做實驗一樣，開始時有兩個完全一樣的東西，然後只改變其中的一點，然後看它們各別所發展出來的結果。如果實驗的結果不同，那改變的一點肯定就是導致不同的因素。由於人是不同的個體，就不能在人身上做類似的實驗，所以我們不可能知道先天與後天所佔的百份比是多少。

我們知道，先天既然是天造的，就與父母親沒責任上的關係。你孩子先天的天份如何，不是你的責任，因爲是天給他的。雖然我們好奇，但是卻沒有辦法研究先天、後天佔多少的百份比，我們只好做比較實際的事情了，我們可以盡力把後天做好。孩子的天份如何，不是我的責任；但是，我有了這個孩子之後，我怎麼樣來教養他，怎麼樣影響他，就是我的責任了。

先天與後天的關係是什麼呢？先天是天才，天已經給你孩子的;後天就是我們在已經有的材料上,怎麼樣來下功夫？這可以用杯子來比喻，先天好像是杯子，有的大，有的小；後天則是我們的責任，放什麼東西進去。你在大杯裡放一點點,在小杯裡放得很多,可能這個小杯擁有的多過那個大杯。如果兩個都裝滿了，當然大杯裝多一點啦；但是，裝的東西是壞、毒的，那大杯裝的是更毒了。對不對？我們作父母和作老師的責任，是在已經有的這杯裡放進什麼東西、放下多少。我覺得我們不需要把所有的才幹都發揮到極限，太辛苦了,因爲我們的時間有限。我們只要盡忠,做一個忠心的人，照著我們可以發揮的去發揮就好了。

是不是與遺傳有關？當然與遺傳有關啦。我們所有的東西都是遺傳來的，我們怎麼樣教孩子呢？我們教孩子接受上帝給他的先天，然後在這上面再去下功夫，以後我們會再仔細的講這幾點。

他生來是多少多大，那我們就照著他擁有的多少去發揮。比如說，如果你的天資平凡，沒有什麼特別，可能你是個中等的杯子。中等的杯子沒有什麼不好，而是在於你放什麼進去。年輕人，你可以自己決定要放什麼進去。如果你放的都是好的,哇！雖然是中等的杯子,但也可以裝好多好的；如果你放的都是壞、毒的,哇！越大的杯就越毒了,是不是？你的責任就是放什麼進去，你願意讓這個杯充滿什麼？充滿溫柔或是兇惡、充滿愛還是仇恨，充滿節制或是放盪。裝滿了好東西，你就是最好的。

有沒有一些測驗可以測出來？有。但是我們都要了解，這些測驗都是人去編寫的，以某一個範圍測驗結果的平均值爲測驗的標準。比如說智商測驗 (IQ Test)，先編寫一百題有關智商的測驗，讓北美加州的小孩回答，看看他們平均答對了多少。如果他們平均答對了七十題，那麼七十叫做標準。然後以七十爲標準來測量任何一個孩子。如果你的孩子不是生長在加州的話，可能這個測量對他來說就不是很準確了。在不同的文化習慣、觀念、語文程度、居住的地域成長的孩子，需要有各別不同的測驗方法。我們要了解這種所謂的智商測驗不是完全準確，它只可以告訴我們某一些比較上的成果，主要是爲了審核學校教育時所需要的一些數據。

在學校受教育，一般上只需要兩樣能力，一樣就是數學、計算能力，另一樣就是閱讀的能力。你想想看，在小學、中學是不是只需要會數學與看書就可以了？你說，還有歷史、地理啊！那些都是看書，對不對？其實只有這兩方面。數學頭腦好的孩子，他不需要慢慢的學，可能可以很快的學；讀書讀得早、讀得快的孩子，什麼書都可以讀了，歷史的他可以看，地理的他也可以看，其他的資訊都是看書來的。一般的智商測驗，主要都是根據這兩方面的才能來評估。還有很多方面的才能是這一類測驗所測不出的，比如說孩子的創造性、冒險心、眼光、個性等等。如果你要你孩子接受這一類測驗的話，你必須要先了解到底它是測什麼東西。

有一些孩子在學校讀書並沒有什麼表現，但是他可以在其他方面發揮。比如我的朋友，他們不能到美國去留學，因爲讀書的成績不太好，但是他們可以把生意做的很好。原來他們的天份、才幹不是學校裡面注重的那些才幹。我有一個朋友很會做生意，所以很早就可以退休。他看見一點點，就會聯想到要做什麼。他看見一幢房子就買來，過半年又賣出去，就賺了三萬塊錢了。這種眼光、膽識是我所沒有的，所以他是另外一種的天才。

現在我們知道了：每一個人都是天才，我們的才幹都是天給的。你的孩子也是天才兒童。你說我的孩子是天才，你也可以對你的孩子說，「你是天才，因爲你的才幹都是天給的。」你自己呢？當然你也是天才啦。所以應該對著鏡子看看自己，告訴自己說，「我是天才。」我們每一個人都是天才，我們有不同的才幹，以不同才幹組合的社會，才可以彼此幫忙。如果全部的人只會讀書，沒有人會種菜，沒有人會種田，沒有人建房子，沒有人做生意，那就很麻煩了，對不對？

小的時候，書本上說中國的社會是士農工商。以前的人從小就有一個印象，最高等就是讀書人。士是最高等的，最低等是做生意的商人。現在我們再從頭想一想，這一句話其實是不對的。最高等不是讀書人，最低等不是做生意的人，沒有高低之分，只是不同的天份。爲什麼流傳下來是叫做士農工商呢？這句話原來是讀書人講的。你現在看見嗎？這是有偏見的話，讀書人把自己排得最高（多數是窮書生，所以看不起做生意的人，其實可能是嫉妒也說不定，所以把商擺在最下面）。這是帶著有色眼鏡所講的話，我們所看到的很多事情都是這樣，所以我們要教孩子懂得慎思明辨，思想和分辨，什麼是真，什麼不是真的；什麼是事實，什麼是意見。

●「天生我才必有用」是不是說每一個正常的孩子，在適當、正確的教導和栽培之下，都有傑出的成績呢？是不是要先發現他的長處和潛能呢？

我們要解釋什麼是傑出的成績。既然每一個人都是不同的天才，我就不能與另外的一個人比較了。如果我不能與另外一個人比較，那就沒有什麼所謂的傑出了。你相信每一個人都不同嗎？前後左右看一看，你有沒有看到另外一個與你完全一樣的人。有的時候名字與你一樣，但是沒有另外一個人與你一樣，同卵雙胞胎也沒有完全一樣的。你如果認識一些雙胞胎的話，他們一定會說，我們是不一樣的。

傑出的成績是不存在的，因爲沒有辦法比較。我們教孩子不可以比較，這樣每一個孩子都可以達到他有的天份應該做的事情。換一句話，這就是我們所說的「天生我才必有用」了。是不是每一個正常的孩子在適當、正確的教導和栽培之下，都可以達到他的天份的成績？對，適當、正確的教導就是我們今天所要注重的。

●你的演講中提到你的小孩有先天的優異潛能，有好的記憶力等等，但是如果我們的孩子只是普通的孩子，身爲父母的我們怎麼樣幫助我們的小孩成功呢？

這引出另外一個問題了，就是什麼叫做成功？讓我們用其他一些我們已經知道的例子來看看，比如說錄音機，怎麼樣的錄音機才是成功的？當然就是我講了，它就錄進去；你要聽的時候，它就放回來給你聽，這就是成功的錄音機了。我喝水用的杯子沒有辦法錄我講的話，它成不成功？你會說杯子不是這樣用的嘛，杯子不是錄音機，對不對？當然，杯子和錄音機的用途不同。錄音機是用來錄我在講的話，杯子是放水讓我可以喝。我喝水的時候，什麼是成功的杯子？就是我放了水進去，它不會漏出來，它就是成功了。我現在用的一個杯子，它是可以保溫的，差不多在一個小時之內水不會太冷，這就是一個成功的保溫杯子。

什麼是成功的汽車呢？就是它可以把你從這裡送到那

裡去，可以開動。什麼是成功的鋼琴？就是你彈下去每一個鍵都會跳起來，沒有走音的。冰箱彈下去沒有音發出來，你可不可以說這是個不好的冰箱？不可以，因爲設計冰箱的沒有設計它彈下去就有音樂出來的功能，冰箱只是設計來可以冷藏。你了解嗎？

什麼叫做成功？這一個人被設計的時候，有他應該做到的事情，他做到了他應該做的，就是成功了。如果是普通的孩子，普通的孩子也是天才。怎麼樣叫他成功呢？你要他成功，就要照著設計他者原來的設計，他達到了，他就是成功了。

●我們政府的生育政策，優秀的人才應該多生一些孩子。你認同嗎？

●父母是科學家，下一代孩子那不是變成超級的科學家嗎？孩子的智商高低，父母的遺傳有沒有關係？

任何一個國家、一個地方可能都有不同的一些生育政策，但是如果他沒有尊重人權，不是照著創造者的看法，看人爲可尊重、有價值的話，可能會引至失望和傷害。我們知道人每個都是不同，而且每個人都是天才，因此「優秀」一詞是什麼意思呢？

「優秀的人應該多生孩子」，這裡所指的優秀大概就是大學畢業吧。父母大學畢業生孩子，是不是每一個都是十全十美的？當然不是啦！他可能某些方面有才能，某些可能與父母親不一樣。每一個孩子都有特別的機會，因爲他的遺傳基因一半是從爸爸來的，一半是從媽媽來的，每一對都是一半爸爸、一半媽媽的，從來沒有例外（例外，就是一對兩條都是從同一個父親或者母親來的話，這個生物不能生存，這是生物界的事實）。是不是大學畢業的父母親一定會生下應該讀大學的孩子？不一定哦！孩子的天份不一定與父母親完全相同；可能相同，可能相近，也可能不同。

比如說我自己的父母親是相當不同的。我爸爸數理化非常好，他說他唸書的時候，數學功課從來沒有帶回家，都在學校休息的時間做完。我媽媽是比較藝術家型的，文學、音樂、畫畫比較好。我們七個兄弟姐妹當中（我有兩個哥哥、四個弟弟），只有我一個人是不會畫圖畫，他們當中有好幾位畫得非常好，其中一位後來專門以畫畫爲業。

當然，孩子的天份是與他的遺傳基因有關，因爲我們整個人所有的都是遺傳基因來支配的，我們的遺傳基因是從父母親來的。問題是什麼樣才是優秀？什麼才是最好的？你願意世界上的人有什麼天份？這個問題沒有人能解答。每一樣天份都有它的好處，只要我們用在對的方面就是好的了。如果我們可以自己選擇，你的孩子要從你得到什麼？要從他另外一個父母親得到什麼？讓你去選擇，我相信你也不敢說（如果他像我這樣……，像他爸爸那樣……，那就慘了！）。我們實在不曉得，唯一我們知道的是，「人人是天才，天份都是有用」。我們講過天給的就不是我的責任，我的責任是我怎麼樣來使用已經擁有的。

●我們的政府提倡學歷高的夫婦要多多生產子女，血統的遺傳關係是不是會影響一個笨和聰明的人？

這個理論是不是有科學根據？我們講過，什麼都是遺傳的，但是遺傳的都是一個中性的，看你怎麼樣來栽培，怎麼樣來使用。如果用在不好的事情上面，就好像一個很大的杯裝了毒藥一樣。如果杯子打破了，那你無論是大杯或小杯也沒有用了，對嗎？所以我們要保護孩子不打碎，不用毒品、酒、煙把自己的頭腦弄壞。

●一定是你們的素質配合起來剛剛好，就產生了四個優秀天才子女。為什麼你們兩個不多生一打呢？

當然，我們都很喜歡孩子，但是生孩子這件事，不是你想要就有的。另外一方面，比如說我們生了四個之後，我的身體沒有那麼好了，如果繼續生下去，可能對我的健康有影響。我們要觀察很多方面，不是單單說生下來的孩子讀書讀得很好，就多生幾個；可能一些讀書讀不好的，卻是非常可愛的人，並且還可以給人類帶來很多的好處。

●美國—高科技和文明的國家，是不是可以多產天才兒童呢？

曾經有一件這樣的事情，幾年前我有一位同學出名了，他的照片，關於他的事情，都在報章、雜誌上發表出來。他是個很會讀書的人，在著名的哈佛大學考取數學學士之後，與我在同一間學校—密西根大學唸他的數學博士學位。我一向非常敬佩數學、物理學好的人，因為這都是一些很抽象的學科。我有自知之明，所以沒有去專攻數學，再深的數學可能就看不懂了。

報章上有一些他以前老師的專訪，他們對他的學習有非常好的印象，說他是很聰明的孩子，數學學得非常好。如果你是他爸爸的話，他在哈佛大學這麼有名的大學讀完學士，又到密西根大學讀他的博士學位，你應該是很高興吧！你可能要求多一點，只會讀書，找不到工作、沒飯吃也不可以，所以還要有一份好的工作。他確實有一份好的工作，在加州大學教書。你覺得滿意了嗎？爲什麼這位同學會出名了呢？原來他在過去十幾年之中，製造很多的炸彈寄去炸人家，炸死了幾位，炸傷了十幾位。

這一類頭腦很好、讀書很好，數學很好，或是其他科目很好的人，就像我們所講的是個很大的杯子，可惜裝滿了仇恨。爲什麼會製造炸彈去炸死人呢？因爲他心裡有很多的仇恨。他不是特別針對某一個人，他是隨便寄過去，誰打開這個包裹就被炸到，這表示他的仇恨是對全世界的。這是一個很大的杯子，但是裝滿著毒藥！

我相信，在他還沒有做出這種事情之前，很多人一定會說他是天才兒童。天才兒童與別人的不同點，只是他生來的吸收力、學得快一點而已，更重要的是我們作父母、師長的怎麼樣待他，這個社會給他怎麼樣的觀念。我認識很多資優的孩子，但是他們對自己的看法卻是不健康的。有一些很聰明的孩子，他只會裝傻傻的，因爲人家取笑他，所以他裝得與其他人一樣。有一些則是覺得很驕傲：我很特別，你們要對我特別一點。這些都是不對的。自高，或是自卑，都不是對的看法。以後我們解釋自我形象的時候，會比較清楚的講這一方面。

美國確實有很多天份很高的人，但是當你注意一下的時候，你看見天份很高的人多數是從外國來的。事實上美國是個移民的國家，大部份的人都是後來才移民進來的。你會發現美國的中學、小學沒有什麼特別，舉例來講，美國的小、中學的數學程度比很多地方都低，但是你會發現她的大學、研究院有很好的表現，可以說全世界最高的之一。你會發現，研究院裡很多學生都是從其他國家過來的，這些頭腦很好的人在美國被接納，有機會發展，所以他們就過來這裡，所以可以說美國得到了很多人家養大的天才。

可能你以爲美國的人很聰明，其實不是，所有的人都是一樣聰明，美國的環境容許外國人進來，法律上不輕看其他人，很自然的會吸引從很多地方來的人。比如說英國，在那裡的華人告訴我說，英國人對華人的看法就比較偏激一點了，美國比較接納華人。如果一個國家可以接納其他人，很自然的很多地方的人都會喜歡去了，這樣就吸收很多外面的頭腦了。其實每一個人都有他的天份，每一個民族都有不同天份的人，只要我們懂得愛惜，我們可以接納，給他們機會，這些都是好的。有的時候，因爲不懂處理，所以造成類似我的同學那種很不好的結果。

●你們的四個子女可謂天才，請問你們是不是有進行胎教？是否可以談談胎教？

●胎教在培育天才兒童上面是不是扮演一定的角色？胎教是不是會影響一個孩子的天資？

●胎教有效嗎？你生四個超資優生是不是有特別的胎教呢？是不是在懷孕的時候進行胎教？胎教重要嗎？正確的胎教應該怎麼樣？

●怎樣進行胎教？請舉一些例子。懷孕幾個月後才可以開始胎教呢？高齡產婦生資高的孩子，比例上是不是比較低？懷孕的婦女抽煙喝酒會影響孩子的智力嗎？

這一連串的問題是我們常常遇到的。什麼叫做胎教？

如果是針對還沒有成形嬰兒的教導，我們沒有辦法做這種的科學實驗，因為我們必須有兩個完全一樣的孩子，一個有「胎教」，一個沒有，才可以看得出它的結果有什麼不同；同時也要進行很多次類似的實驗才可以有其定論。人不是東西，我們不能拿來做實驗，而且每一個人都不同，所以沒有辦法做這種的實驗。是不是孩子還沒有成形之前，你聽一些好的音樂，他就變成音樂家呢？沒有這種實驗根據。是不是媽媽常常看漂亮的孩子，生出來的孩子自然就漂亮呢？也沒有這種科學的事實給我們看到。有一些人說有些機器綁在孕婦肚子上面，它會發出什麼聲音，為胎兒帶來……這些都沒有科學的證據。如果你講的是這一種的胎教，那我無法證實這種胎教有任何真正的作用。小孩子在子宮裡應該是在長大。讓他睡覺，讓他休息，不要吵他，好嗎？

如果你講的胎教是另外一樣，是針對准父母的教導，那我就同意啦！大人的心情會影響胎內的孩子這是當然的，大人吃的東西也會影響孩子，科學可以給我們這方面的證據。比如說我們突然間發生一件事情，你會覺得好像整個人突然間熱起來，對不對？是的，人的情緒會影響我們身體的內分泌。如果懷孕的媽媽心情不好，會影響她的內分泌，就可能會影響小孩子的健康。

如果媽媽快樂的話，我想她的身體就會正常，沒有什麼特別對孩子不好的內分泌。媽媽在怎麼樣情況之下才可以快樂呢？最快樂的事情是愛，如果妳的丈夫很愛妳，我相信會叫妳最快樂的。准爸爸們，雖然你沒有懷孕，但是你還是非常重要，因為你會影響你的妻子，你的妻子則會影響還沒有出生的孩子。你愛孩子的媽媽嗎？如果你愛的話，你做得對，你就影響了孩子；媽媽身體健康，孩子在健康的情況下，當然是對他最好的啦！

父母親也可以在孩子未出生之前，多多學習怎樣溝通，怎樣同心協力給孩子愛的環境；自己學會了分辨事實與意見，以後才能幫助孩子。

這裡講到，抽煙、喝酒甚至用毒品，當然對孩子都有影響。在北美有一些針對抽煙、喝酒和用毒品的懷孕婦女的研究，發現他們孩子的頭腦和體質都受影響。好的父母親，在孩子沒有出生之前，就不要有這些不良的習慣。其實我們都知道，如果你被一樣東西轄制的時候，那已經是不對了。抽煙、喝酒、用毒品都會轄制我們，當然對我們不好，更是對孩子不好（連帶提醒，愛滋病等性病也惡性的影響孩子）。

關於高齡產婦生下來的孩子，倒是很難說。一般來講，她生不正常孩子的可能性是比年輕的時候高。但是妳的孩子是一個孩子，講比例也沒有什麼意思。我們不能說，高齡產婦的孩子生出來一定不好；他不正常的平均值是高一點，但是你那一個孩子不一定就不正常。

權威、能源

●我們現在聽了妳的講座，才清楚知道怎樣教小孩。我很好奇的想知道，爲什麼妳「年輕」的時候已經清楚知道怎樣教小孩？什麼原因令妳有如此獨特的心得，是神的啓示或是什麼事情的啓發？

這個問題其實就是我們家的秘密。爲什麼我「年輕」的時候知道？其實我們也有很多不知道的地方，也有很多做錯的地方。但是我們卻有一些很重要的原則來參考，當我們碰到問題的時候，我們有一些原則可以思考。這些原則是從一本書來的，我從小的時候就讀了這一本人生的手冊，現在還在讀。

這本人生手冊告訴我，我的孩子是怎麼樣的；它告訴我，每一個人都有人權，我們都有價值，我們都有尊嚴。如果我知道這個原則，我就知道什麼是我可以做的。比如說，如果我知道男女是平等的，男女的人權、價值、尊嚴都是一樣的話，我就不會重男輕女，也不會重女輕男。如果我知道每一個人都是有同樣的價值，我就不會說，這個孩子漂亮，那個孩子不漂亮；或是說我喜歡這個學得比較快的孩子，那個學得慢的孩子就沒有價值；我不會這樣了。我也不會說這種的天份比那種天份重要。

人生手冊

我有這本人生的手冊告訴我，什麼是我應該做的，什麼是不應該做的。就像你買機器時所附上的說明書。當你的機器出現什麼問題，你就有一些原則可以遵從。我們現在很細節的解釋一下大綱，給各位一個背景，以後我們在回答問題的時候就比較容易了。雖然無法把所有的都講完，但是讓你們有一些原則可以遵從。這本人生手冊就是世界上暢銷最久的一本書，它叫做《聖經》。這本書告訴我們，人不是從猴子變來的，是有一位很聰明的創造者造我們的。有關這方面的證據，我會以另外的書來講明，到底聖經對還是進化論對。

現在簡單的舉一個例子，進化論說我們是猴子變來的，從一類的動物可以變成另外一類的動物；聖經卻告訴我們，所有的生物各從其類，猴子生的永遠都是猴子，人生的永遠都是人。你就看一看吧，是誰對？有沒有任何一個人見過猴子過了很多代之後就變成人？有沒有這個事實？或者只是一個假設？科學家講的話不一定是科學的事實，科學家講的可能只是他的意見而已。當我們看看四周的時候，有沒有見過猴子變成人，或者人變成猴子的呢？當然是沒有，但聖經所講的各從其類，你有沒有見過？那不需要問了，你每天都可以看到。無論是我們稱爲高等的或者稱爲低等的生物，他們都是各從其類。

比如說，我在實驗室用的細菌，我們養來做實驗的。細菌二十分鐘生一代，生了千千萬萬代之後，還是一樣的細菌。很多科學家都是用大腸菌做實驗的，這些大腸菌在實驗者的手中已經不曉得長了多少萬代，但是它們始終都是大腸菌，甚至沒有從一種細菌變成另外一種的細菌，它們還是大腸菌，所以「各從其類」是我們每天可以看到的。如果我們讀的進化論是真的，應該可以見到各種不斷在進化過程中的人，有一些就快要變成人了，有一些是超人的，有沒有呢？這個是猴子還是人啊？分不出來，因爲一半猴子一半人嘛，有沒有這一種呢？當然沒有啦。這個發現讓我相信聖經所講的才是真的，各從其類。當然聖經還有很多各方面的證據給我們可以去查考，現在只講一樣，其他的下次再講。

聖經告訴我們的，都是今天科學可以證實的；進化論告訴我們的，是今天的科學無法證實的。有一些人要說，有啊，進化就是有改變啊。事實上是越變越好，還是像聖經所講的—越變越壞？沒有改進，沒有越來越好，因爲沒有增加資訊。就如你寫了一篇文章，有一些猴子或是一些看不懂字的給你這裡修改、那裡修改，他們這樣做會不會讓那篇文章更好呢？

認識孩子

這本人生手冊告訴我，創造者造人的時候是照著自己的形象、樣式造男造女，我也就知道男女是平等的了，所以我們就同樣看待我們的兒子、我們的女兒，一樣的愛，一樣的看重，一樣給他們栽培的機會。既然聖經告訴我們每一個人都是一樣的價值，所以就沒有看重某一個、看輕另一個。即然每一個人的天份都是天給的，所以都是好的，因爲聖經說祂所造的都是好的。在這個原則之下，我們就可以欣賞孩子，欣賞他們從天所得到的才能。我們不會把他拿來與人家比較，我們會照著他們原有的來栽培他們，而不是勉強的栽培他們所沒有的。

例如他數學好，不要把他拿來與人家比較，爲什麼你不像你姐姐的音樂那麼好？爲什麼你不像你哥哥圖畫得那麼好？這是錯誤的教法了。我們也不會說，你的數學已經夠好了，不要再做了，你寫字寫得這麼慢，現在每天都是練習寫字。我們不會這樣，因爲我們沒有偏見。他數學好，就讓他在這方面去發展；他寫字慢，沒有這方面的天份，也不需要勉強他。我們可以讓他盡量的進步，但是不需要要求他寫得很漂亮，寫得很快。

就如華人說：「因材施教」，指不同的才幹用不同的教法，不要去比較。但另一句「勤能補拙」，古代的人告訴我們要用功，可以用勤力來達到更好的果效。人家讀一次，我可以讀十次，行得通啊？人家一天讀三個小時，我讀三十個小時，行不行得通啊？當然行不通啦！所以這只是好意，卻不是真理，因爲確實行不出來。我們應該看看，這本聖經告訴我們什麼叫做成功。

我們提到認識孩子的時候，我們有幾方面的認識。剛才講了才幹方面的認識，除此以外，還要留意他學習的辦法。我們老大學習邏輯性的東西很快，所以小時學習樂理一下就懂了，但是他彈琴彈不出來，因爲他的拍子不好，節奏感不好。他音樂的天份沒有那麼多。老二雖然沒有像哥哥在兩歲多就開始看書，但是她音樂的天份卻是很高，她很小就開始唱歌。老三雖然是用左手的，但是她的左手比我的右手更能幹，就讓她用左手去寫字、去發展。老四是比較有規矩的，他不喜歡新的環境，不喜歡突然變的東西。那也沒有什麼不好，這是他學習的辦法，他必須要規規矩矩來學習。

每一個人都是不同的，我們需要認識我們的孩子，要認識他們的不同。一個孩子生來是男或是女是天生的，所以我們要幫助孩子知道男女是平等的，他們就會接納自己。有一些家長希望生男的，如果他生了四個女的，可能就把老四打扮成男孩，或是把她送給別人。這種做法就是不了解我們創造者是怎麼樣造人的。這個孩子對自己是怎麼樣看法？他會覺得自己是不被歡迎的，不是父母親所要的。如果是男的，他就會被寵壞了。當我們重男輕女或者重女輕男的時候，我們會害了男的孩子，也害了女的孩子。

如果我們要幫助孩子有健康的自我形象，就必須要讓他們知道他們從何而來，他們的價值是怎麼樣，他們的智能、學習方法的不同，我們都要尊重他們，照著他們的辦法來教導他們，照著他們學習的速度來幫助他們進步。換一句話說，一個好的教育者是一個認識你的孩子的人，你必須知道他用什麼方式學習，他的進展可以有多快、多大，因爲你是建樓梯的人，從一樓到二樓，怎樣的樓梯對他最適合；從「不知」到「知」，怎樣的方法和速度對他最適合。

孩子的個性也不同，有的孩子很急性，有的很慢。個性沒有好與不好，只看你用得對不對。一個做事情、決定很快的人，很可能他會容易出錯；他跑得很快，就會撞到他的頭了；幫助做事情、決定很快的人，三思而後行。如果他整天嫌其他人，「爲什麼你那麼慢啊？你看我做多快，你做這麼慢，真笨」；如果他這樣做的話，他是用錯了。如果他可以幫助其他的人，「我們一起來想想，有什麼辦法可以讓我們做得更快」；如果他可以幫助其他人，他就用對了。

無論你孩子的個性是怎麼樣，都是好的。我們要懂得怎麼樣帶領他們往好的方向進行。還有一些孩子比較容易發脾氣，他是比較敏感，敏感不是不好，但若是變成愛發脾氣，就不好了。我們要幫助他怎麼樣可以有節制，自己可以控制自己。

講到外貌，特別在其他國家的華人，比如在北美的華人孩子，常常在學校裡被人家欺侮、被人家笑，因爲他與其他孩子不同(人因無知常會取笑異己,就如華人稱其他人爲「蕃」或「蕃鬼」）。如果我們教得對的話，他會覺得創造者造我是這樣黑頭髮的，這個當然是對我最好啦！是我聰明還是創造者聰明？如果祂比我聰明，那我就不要告訴祂做什麼了，所以有一句話說「 Stop telling God what to do 」，不要告訴創造者，祂應該怎麼做，因爲我沒有祂那麼聰明。當我們孩子知道後，他就會說：「創造者造我這樣，當然是最好的，人家不懂，那是人家的問題，我不需要受他們影響。」他就不會說，「媽媽，爲什麼妳沒有把我生作藍眼睛、紅頭髮的？」他們也不會說，「我不喜歡讀中文，我不要作華人。」反之，孩子會不喜歡他們的父母親；他們會認爲「我長得這樣，因爲我的爸爸、媽媽是華人嘛！」最後，他們就連自己的父母親也看不起，這都是自我形象出現了問題。

關於身材的高矮，我們已經講過，不要給孩子「高比較好」的價值觀。這是錯誤的。高矮有同樣的價值，因爲上帝造高的人，也造矮的人。

不要隨便講錯話，不要讓我們的孩子對自己的看法不健全。身體什麼樣、臉孔什麼樣，都是天給的，都是我的創造者給的。幫助我們的孩子接納自己，接納我就是這樣，我不希望與人家比較。聖經說，人看人是看外貌，但是耶和華看人是看內心。幫助我們的孩子從真正的美麗、內在的美麗做起。一個人有內在的美麗，就會流露在臉上，流露在他的外表，他自然就好看了。

你有沒有認識一些人？第一次看到的時候，你覺得好漂亮，但是過了一陣子你知道他裡面的爲人是怎麼樣之後，就一點也不覺得漂亮了。相反的，有沒有見過另一些人？第一次看的時候，覺得很難看，後來你看見他裡面的人很漂亮之後，這個人就變成美麗了。真正長久的美是裡面的美，而且是越老越漂亮，外面是越來越糟糕，對嗎？幫助孩子習慣用創造者的價值觀來看人，這對他長大後交友和婚姻有重大的影響。

我們提到認識孩子，認識他的才能、他的學習的方法、他的外貌、他的性格，這些都是認識孩子的幾個方面。我們如果認識我們的孩子，接納他原來被造是怎麼樣，才有可能發現他的天份，照著他有的來栽培。比如說左手方便的孩子，你就不會勉強他用右手來寫字。音樂天份少的孩子，你就不會勉強他去學樂器。畫得好的孩子，你就不會不讓他畫。我們要認識孩子，就要沒有偏見的認識，然後供應他們學習的機會，鼓勵他們。最重要的是不要互相比較，因爲你的孩子是世界上的唯一。如果我們欣賞他有的天份，也幫助其他的人欣賞他不同的地方，他不單對自己有健康的看法，他所擁有的才幹，他也不會驕傲，他會接納這是創造者給我的，存著感恩的心來栽培、來使用；另外一方面，他不會自卑，對他沒有的天份不會說，爲什麼你有、我沒有。

我們不要將他的外貌、身體拿來與人家比較，這樣他會接納他自己的外貌。他生來是華人，他也會接納，在學中文方面他就不會有什麼問題了。他就會搶著機會、需要的時候才能用。對自己的父母親也懂得怎麼樣孝敬，也不會看輕他們。我們有身體，我們也有心，就是我們的才幹、我們的感情、我們學習的方法等。我們還有一樣，我們有靈。人是萬物之靈，在所有的生物中只有人會與那更高的創造者有來往，因人有靈。你從來沒有見過動物想到，有比牠更高的、要去敬拜的對象。人無論在什麼地方，在「開發」或「未開發」、「文明」或「不文明」的地方，人的心裡永遠有一個洞，這個洞需要永恆來填滿。聖經告訴我們，創造者把永恆放在我們的心中。人需要愛，人更需要永恆的愛。我們要關懷到孩子的身、心、靈，我們的孩子才能健康。

問題原由

我們要了解問題的原因是什麼。比如我們的孩子在學校很悶，如果了解他的原因，我們才可以處理。孩子近視了，我們知道原因，我們才可以處理。所有的醫生看病都要先知道是什麼因素導致生病，他才可以對症下藥。如果不知道的話，他們就用一些好聽的名稱，比如「不知原由的發燒」，當然是不曉得原因了，就不知道怎麼樣醫治了，只可以治標不能治本。我們必須要知道孩子問題的原因在什麼地方。

人的問題，原因是什麼？問題的原因是自我中心。自我中心就是把自己看做中心，把自己抬得太高。聖經告訴我們，創造者造的時候都是最好的。爲什麼現在會變成不好呢？因爲人說，「我不要祢，我自己可以搞，我自己來決定標準，我自己來分辨什麼是善、是惡。」人不是創造者，我們的智慧有限，當我們要以自己來做標準的時候，我們的生命就不完全、不理想了，就帶來了敗壞。

你想想看，在家裡的問題是不是因爲自我中心？夫妻之間的不和睦是不是因爲自我中心？我覺得我這樣對，他覺得他那樣對。父母、兒女之中的不和睦是不是自我中心？作父母的說你應該這樣做，小孩子說爲什麼我要這樣做。兄弟姐妹之間的不和睦是不是自我中心？他要這個玩具，我也要這個玩具啊；他要媽媽抱，我也要媽媽抱。我們要幫助孩子，就必須在處理自我中心的事上，知道怎麼樣來處理。幫助孩子謙卑，知道自己不過是人，必須聽從創造者的標準，生命才能理想。

愛的教育

怎麼樣實行愛的教育？什麼是愛？父母親都是愛孩子的，但是你的愛對不對？如果愛得不對，可能會害了他。真正的愛必須要照著真理來愛，沒有照著真理的愛都是害孩子的。真理在什麼地方？真理從何去找？真理，只有在創造者那裡才有全盤的真理。一部機器只有設計者知道整部機器的運作，要操作這機器就必須照著設計者所給我們的指導來進行。如果不是我設計的機器，我的智慧沒有那麼高，我就要聽那設計者的話。如果我沒有設計人，我的智慧沒有那麼高，我就要聽「人的設計者」的話。如果我沒有設計宇宙，我的智慧沒有那麼高，我應該做的是聽這位宇宙創造者的話。愛就必須要照著 — 愛的源頭、創造愛的那位 — 所給我們的真理。

祂告訴我們（在聖經裡有很多章節告訴我們什麼是愛，最簡潔的一段是寫在哥林多前書十三章）：

「愛是恆久忍耐，又有恩慈；愛是不嫉妒，愛是不自誇，不張狂，不作害羞的事，不求自己的益處，不輕易發怒，不計算人的惡，不喜歡不義，只喜歡真理；凡事包容，凡事相信，凡事盼望，凡事忍耐；愛是永不止息。」（哥林多前書十三章 4-8 節）

愛是恆久忍耐 — 愛可以承擔刺激，有刺激來的時候，我們可以忍受。

愛有恩慈 — 是建設性的，是積極的，不是消極的；恩慈的意思是對他有用的意思。

愛是不嫉妒 — 愛不會說，你有、我沒有，我不高興；或是說你是屬於我的，你要聽我的話。

愛是不自誇，不張狂 — 我們如果犯錯的時候，我們承認；不懂的，我們就說不懂；不要驕傲，把自己看得太高。

愛是不做害羞的事 — 不能見人、不能見天的事情都不要做；不要令到對方害羞，羞辱對方的事情不要做。

愛是不求自己的益處 — 愛是爲著對方的好處想，所以不求自己的益處；不是我養這個孩子，就是盼望有一天他來養我，古人說「養子防老」，那是求自己的益處了。

愛是不輕易發怒 — 不輕易發怒是指不被激怒，不可以發脾氣，因爲人的怒氣沒有辦法成就上帝的標準。

愛是不計算人的惡 — 不要把他做錯的事情拿來一直瞄瞄瞄，做錯了的事情我們當時處理，從那裡學到功課以後不要再犯錯，但是不要記在我們的賬上。

愛不喜歡不義 — 凡是不合上帝標準，不合創造者標準的都不要做，無論有人看見或沒有人看見。

愛只喜歡真理 — 唯有完全合乎真理的愛，才會真正的愛到你的孩子。

一半真理的愛會害了你的孩子。有一些父母親很愛孩子，但是沒有照著真理。這裡我也聯想到，有一些祖父、祖母過去對自己的孩子沒有盡本份，或是不懂得怎麼樣教，作了祖父祖母之後比較懂了，就來教孫子、孫女了。結果祖父母與父母親這兩代之間，因爲孫子、孫女的緣故有很多的衝突。這是因爲不知道真理的緣故，聖經告訴我們，教養兒女是父母親的責任。如果我們失去機會，只能說，「可惜我那個時候不懂，我沒有早一點學習。」如果我們的兒女有了孩子，他要我們給他意見，我們可以把自己的意見給他，但是我們沒有權利、也沒有責任來管教孫子。如果你的兒女要你去管教他們，那你就有機會了。管教孩子首要責任永遠是父母親的，不是祖父母的。沒有照著真理來做的話，就有很多的麻煩出來，因爲那不是真正的愛（祖父母先和自己兒女建立和諧的關係，在兒女許可或要求的情況下影響孫輩）。

愛是凡事包容 — 意思是說我們可以接納不同的看法，但是不是接納不義，不是接納罪惡。在真理的範圍裡有不同的看法，我們可以彼此包容。在真理的範圍裡，男與女是不同的，但是我們同樣的接納。在真理的範圍裡，你辦事的方法與對方不同，我們可以彼此接納，可能我們的性格不同，我們要彼此接納。愛裡凡事包容，包容的意思就是建一個屋頂給他，也是保護他的意思。同一個屋簷下的人不單是在一起，也是可以得到保護。

愛是凡事相信 — 可以彼此信任。

愛是凡事盼望 — 我們不會對我們的孩子絕望，因爲這是有生命的愛。

愛是凡事忍耐 — 我們有耐力可以繼續下去，在各種的壓力之下，不會覺得沒有力量。這種的愛是永不止息的、是長久的、永遠的，因爲這愛是建立在永恆的創造者那裡，是祂的愛。聖經說：「上帝就是愛。」

這是人生手冊中的一段話。你想想看，這裡說的恆久忍耐，沒有忍耐是不是沒有辦法傳遞愛呢？恆久忍耐，幫助他，對他有用，才是恩慈。說到不要嫉妒、不自誇不張狂、不做害羞的事，如果這些沒有做到，就帶不出愛來。很多時候父母親愛孩子，但是沒有照著真理來愛的話，孩子一點也沒有感覺到。

怎麼做得到這個愛呢？你需要力量，這個力量的源頭也是創造者。祂是大能者，中文聖經翻譯爲「神」或者「上帝」這個字，是同一個字。上帝是我們華人早就用的名稱，祂的意思是大能者，能力很大的那一位，祂有很大的能力。祂又愛我們，又尊重我們，祂讓我們自由選擇要不要祂。如果我們要祂的話，祂的力量就供應我們了；如果我們不要祂，祂沒有勉強。你要嗎？你如果需要這個力量來愛，你可以很容易的得到，不需要錢買的，不需要考試，不需要讀書，每一個人都可以得到，只要你說「我要」就可以了。

這位創造者因爲知道我們的軟弱，把自己濃縮成爲人的樣子，在人的社會生活，在人的歷史中出現，聖經裡所介紹就是這一位耶穌基督，祂是救主，被派從天而降。我們現在所用的年代就是以耶穌基督出生的年代算起，所以叫做 AD 、BC 。 AD (Anno Domini) 就是我們的主的年，耶穌的出生劃分人類的歷史； BC 就是基督之前 (Before Christ)。

這位世界上見過的，歷史上見過的耶穌基督自稱就是創造者。祂所做的事情，證實祂確實是創造者，祂可以管理宇宙，祂可以管理風浪，祂可以醫治疾病，祂可以叫死人復活，祂可以把鬼都趕出去。這一切都告訴我們，祂實在是宇宙的創造者。祂也給我們看見祂的愛，願意把自己的生命賜給我們。只要你說，「耶穌我要祢，給我祢的生命，給我力量來愛，過去我照著自己做不出來，有好意，我的出發點是好的，但是做不出來，也沒有力量。」你承認過去的自做主張，所以你的生命不理想，請祂赦免；承認耶穌基督爲著我的不理想而死，但是祂又從死裡復活，這些都是歷史上所記載的。只要你這樣做，你就可以請祂作你的救主，管理你的人生，聽從祂的話，祂的力量就供應你，你就有力量來愛。這愛，這力量，也是你的兒女所需要的。他們也可以像你一樣，脫離自我中心、自我主張。

成功標竿

我們要直奔成功的標竿。成功是什麼？我們講過每樣機械是否成功，是看它有沒有做到設計者的要求。你的孩子也是一樣。你的孩子，什麼是成功呢？聖經裡告訴我們說，只有兩樣我們必須做的。第一、良善，就是創造者善的標準；第二、忠心，就是我們盡本份。每個孩子都可以成功，只要

他照著上帝的標準 — 良善和忠心。

上帝在人際關係上的標準，你聽聽覺得合理嗎？祂簡單的說，「兒女要孝敬父母，不可以殺人，不可以姦淫，不可以偷盜，不可以作假見證陷害人，不可以貪心。」你同意嗎？你會說，「如果我們全社會都這樣做的話，那就太理想了。」這就是創造者所定下的人際關係。當然聖經還有更仔細的解說，但這是它的大綱。

孝敬父母，把父母看做是重要的，看做有價值的。不要謀殺人，無論是老人、年輕人、沒出生的、男的、女的都不要殺。不要姦淫，性的功能只用在婚姻裡，用在其他地方都是叫做姦淫；婚姻是一男與一女的，除此之外都叫做姦淫。如果我們這樣做的話，我們也不會染到性病。不要偷盜，不要拿別人的東西，因爲我們尊重他，他是照著上帝的形象被造的。不要作假見證陷害人，如果你曾經有被人作假見證陷害的經歷，你覺得怎麼樣？聖經告訴我們，不要跟著眾人做，一群人都在那裡大喊大叫的時候，你不要同著他們做惡。聖經還說不要貪心，所以我們的孩子就不會整天吵著要買這個、那個。成功只有兩樣，良善和忠心。

在聖經裡記載，耶穌基督說了一個比喻。祂說有一個主人要到外地去，他就照著僕人的天份，給一個五千，另外一個給他兩千，再另外一個給他一千。主人回來的時候，那個得到五千的就說，「主人，你給我五千，我又賺了五千了。」主人說，「好，你是又良善又忠心的僕人，你在不多的事上有忠心，我要把更多的事情交給你管理，進來享受你主人的快樂。」那個得到兩千的說，「主人，你給我兩千，我又賺了兩千了。」主人說，「好，你是又良善又忠心的僕人，你在不多的事上有忠心，我要把更多的事情交給你管理，進來享受你主人的快樂。」完全一樣，他沒有說人家有五千、你只有兩千，因爲多給誰的就向誰多要，這是創造者的公平。那個拿到一千的，什麼都沒做，他把錢埋在地裡，所以主人說他是一個又惡又懶的僕人了。你看清楚了嗎？

我們不是與別人比較，我們是看我是否良善和忠心。如果我照著上帝所給我的五千，全部栽培、全部用，我又賺了五千，那我是良善又忠心。如果我只有兩千，沒關係，我的責任少一點，你看多舒服，多給誰就向誰多要。孩子在這種標準之下，一方面不會驕傲，一方面也不會自卑。他們知道什麼是良善，因爲聖經有告訴我們良善是什麼。上帝的標準才是良善。人的標準、文化的標準都會改變，沒有十全十美的。唯有創造者永不改變，祂的標準才是標準，祂叫良善的才真是良善。

我們從小要教孩子這本人生的手冊，從出生開始就每一天讀給他們聽，讓他們好像打了預防針。第一、有健全的自我形像；第二、順從上帝的標準，不自我中心；第三、愛上帝、愛人，就不會去做錯誤的事情了；第四、做良善和忠心的人，要負責任，不驕傲。沒有給你的，沒關係，不需要自卑。這些就是教養孩子的秘訣了。

你自己要得到力量嗎？你就要從這能力的源頭得到力量。你要有愛嗎？從愛的源頭 — 我們的創造者 — 得到愛，你的愛就好像插了電座用不完；人的愛像用電池，很快就用完，過了一陣就沒有力量了。你看多少夫妻，結婚的時候多麼相愛，但是爲什麼不能持久呢？因爲他們是用電池，不是連在那個愛的源頭，所以不能持久，有太多的失望，是因爲我們沒有力量。讓我們都從愛的源頭支取愛，取之不盡，享受甜蜜的愛。願天地之主祝福你全家。

●如果我們不能用自己的方法教育小孩，那要用什麼方法或是用誰的方法呢？

我們講過，如果機器有一位設計者，我們處理這個機器，就要照著設計者的辦法。你的孩子有設計者，就是有天上那一位創造他的天父。我們稱爲天父，表示我們從祂而來，所以祂是我們真正的老祖宗；我們從祂而來，我們的生命是從祂而來的。我們要教孩子，不能用自己的辦法，因爲我們自己的辦法、智慧有限，我們沒有智慧知道所有宇宙的真理。

我們用誰的方法呢？我們就用這位創造者的方法。這樣一來，我們就知道怎麼樣去教養兒女。

●我一直用權威的方式來教孩子，如何有效的改善？往往還是會再用自己的權威來教他，怎麼樣改善或者調整教導孩子的權威講話方式？

聽了講座之後，才知道不應該以自己當做教導的權威，才會問這樣的問題。父母親不是權威，只有宇宙的創造者才是權威。我們怎麼樣改善？

先反省一下現在對孩子的態度。可能：我們每天跟孩子接觸的時候，我們總是以這樣的講話方式開始。早上起來的時候，你總是催你的孩子，「趕快起來！趕快起來！遲到了，怎麼還那麼慢啊？吃了飯沒有？刷了牙沒有？洗了澡沒有？」我們總是以這樣的口氣跟孩子講話。其實我們只有一位真正的權威，祂是造我們的天父，你與你的孩子都是屬於這位創造者所造的。當你發現你不是那個權威，你會以什麼口氣與你的孩子講話呢？當然，你就會尊重他。比如他今天起不來，你不會罵他，你會跟他商量，有什麼辦法可以改善，或許晚上要早一點睡覺，你的語氣自然不同。當你講話的語氣不同的時候，你的孩子的反應也不同了。或許你可以參考你和朋友講話的方式，或是你還沒有結婚之前與你的男／女朋友講話的方式，我相信你會得到一些智慧。

無論如何，我們講話必須要是講真理，不是真理的不要講。有人常常「騙騙孩子」。孩子哭的時候告訴他說：「別哭啊！警察來抓你了！」這叫做不合真理的教導，因爲警察並不是要來抓哭的小孩，我們需要改正，要講照著真理的話。不要再講恐嚇的話：「你再哭，我把你從窗口丟出去啦！」你不是真的要做，而只是恐嚇他的話，都不是真理，不要再講了。

試試看，照著真理講話。你說，「如果哭了，你會吵到旁邊的人。」或是說，「你哭了，讓媽媽爸爸很難過。我們想要幫助你，但是你要告訴我們，我們可以怎麼樣來幫助你，我們可以商量。如果你單單一直哭，我們就不知道你的需要，也沒有辦法幫助你。」你講的話是真理，這種話現在開始要多講了。

如果我們忘記了，又犯了，我們應該說，「對不起，我也在學習，我在學習尊重你，因爲你是這位創造者照著自己的形象所造的。我學習尊重你，因爲我尊重你就是尊重宇宙的創造者。」當你跟孩子說對不起，你解釋給他聽你同樣也在學習的話，你的孩子不知不覺中也會學你的樣式。他也學到「我也要學習怎麼樣尊重你了」。有時候孩子學得比我們快，但是有時候父母親決定要學習，學得也會比他們快。無論如何，這是一個好的開始，我們學習彼此尊重。

●丈夫看不起妻子、女兒，常罵女兒不早起身。丈夫本身是早起的人，早睡又早起，但是其他的人晚上做事情會比較有效率。丈夫（指作爸爸的）常罵女兒做事情太慢，全家都不開心。怎麼辦呢？

我相信，這是媽媽或是女兒問的。丈夫看不起妻子，可能丈夫不懂得這位創造者造人是照著自己的形象樣式造男造女，男女在祂眼中有同樣的價值。

我們用什麼態度呢？我們要同情他、可憐他、赦免他。就像耶穌基督在十字架上的時候，祂赦免釘祂在十字架的人。祂說：「赦免他們，因爲他們所做的，他們不曉得。」丈夫看不起妻子，因爲他所做的，他不曉得。丈夫看不起女兒，女兒也是創造者所造的。要赦免他，因爲他所做的，他不曉得。我們希望有一天他會了解，那時他才知道自己的價值。當他還不了解創造者造人的事實時，他也沒有辦法了解自己的價值。這種人很可憐，他看不起自己，才會看不起妻子，才會看不起自己的女兒。希望你可以幫助他，從你們對他的尊重，讓他知道上帝造你是照著祂自己的形象造你。你知道自己的價值，你可以肯定自己，但是以柔和的態度與他交往。你的價值是事實，他的「看不起」不影響你確有的價值。

是不是一定要早起呢？這是另外的一個問題。如果不一定要早起，遲一點起來是不是一個大問題？這是可以彼此商量的。他七點起來、十一點睡覺，另外一個人六點起來、十點睡覺，如果他們做的事情都一樣的話，那就沒有什麼不對了！不過，要注意一下，是不是因爲起不來，才導致在學校或者工作上遲到。

如果有時間的規定，你就必須遵守。在我們這個不完美的社會裡，有一些事情是沒有辦法完美的，爲了所有人的好處，需要規定一些時間來遵守。如果百貨公司是隨時開門、隨時關門，對我們要買東西的人就很不方便，很不自由了。如果學校是什麼時候老師來、什麼時候學生來都無所謂，什麼時候他們離開、什麼時候他們出現也都無所謂的話，做起事情來就不容易了。還是要訂下一些時間，讓大家來遵守。

如果女兒起得太遲，以致上學、上班遲到的話，我們應該討論怎麼樣才可以睡得夠，怎麼樣一早就可以起來，不需要等到時間快到的時候才起來。這與那一個「看不起」是不同的問題。如果需要規定什麼時候上班，我們是不是可以調整一下上床的時間，把整天的流程提早一點就是了。

●我們很想聽聽，妳怎樣培養四位天才兒童。

我常常有接到這一類的題目，因爲他們覺得聽不夠。

怎麼樣培養呢？首先，他們是天才，意思是說他們的才幹是天給的。你的孩子的才幹是不是天給的？當然也是。你的孩子也是天才兒童，你對這個天才兒童怎麼辦呢？你要照著製造天才兒童的那位設計者所定下來的規矩：第一、你要認識他的被造；第二、你要知道問題的所在，就是自我中心；第三、你要知道解決問題的辦法，就是照著創造者的辦法回去工廠，祂給我們的辦法就是祂自己成爲人並爲我們的不理想而死；當我們請耶穌作我們的救主的時候，耶穌基督這位從天而來的創造者就給我們力量做我們應該做的事情；第四、我們給孩子成功的標準，不是世界的標準，而是創造者的標準；創造者的標準只有兩樣 — 良善與忠心。我們培養四個孩子，就是照著這個大綱來培養，我回答問題時也是照著這個大綱來回答。

簡單來講，老大兩歲多就開始看書。當時我什麼都不懂，也沒有辦法找到任何人或學校來幫助他。他在五歲時才進幼稚園，在那裡發生很多的問題，因爲他太悶了。之後，有一位學校的心理學家幫了我們很多的忙，讓我們了解到原來學校有這種特別的設備。如果你的學校沒有提供的話，社會裡頭也有很多這一類的心理學家，比如我們的老二，現在就在學校裡當心理學家，幫助學生。你可以在你的附近找心理學家來幫助你，當然你先要了解一下他所用的大綱是不是也照著創造者的大綱。如果他是以進化論來做大綱的話，我想對你不一定有幫助，因爲他會把你的孩子當做動物，這是很可憐了。

我們注意老大學習的過程，我們了解他，跟他談話，慢慢我們就知道原來學校的環境不適合他，因爲他的學習方法和速度實在太快了，當然沒有適合他的學校。我們只好爲他製定不同的教育法，結果他從幼稚園到大學只用了五年的時間。進大學之後就非常的舒服了，因爲沒有人再限定他可以學什麼，他很自由的學，也沒有什麼問題了。由於老大的經驗，我們讓老二早一點點進幼稚園，她的學習差不多兩年跳一次，舒服得多了。老三跟老二差不多，只是比她更早進幼稚園。

開始的時候，我們以爲老四很「正常」，覺得太好了，我們不需要特別爲他安排。但是後來在他三年級的時候，數學進度變成很快，我們也隨機應變了。之後的一年，我自己教他。我們一起上班，在辦公室他自行做他的功課，其實我根本不需要教他，只幫助他一些的進展，幫他拿書、借書、買材料。我也讓他寫一些長篇的文章，希望他藉此可以學習做一些研究。我與他一起去圖書館，我們去借書，找他有興趣課題的書。

在這個過程中，我自己也學到很多。比如他曾寫了一篇文章，是關於南美一種叫 Hoatzen 的鳥，之前，我根本不曉得有這種鳥的存在。當我們去看書的時候，他對這種鳥很有興趣，也寫了一篇關於這種鳥的文章，我那時才知道這種鳥是有爪的。一路來，我們常聽見人家說根據進化論，鳥在演化的過程中是以一半爬蟲、一半鳥的樣子出現，就是所謂的始祖鳥，在牠的翅膀上面可以找到爪。這當然是個錯誤的思想，我從小兒子的研究中知道，現代也有這類鳥，可見所謂的始祖鳥其實並不是始祖鳥，是進化論的學者給的名字。牠的翅膀上有爪，也沒有什麼奇怪，就跟現代的 Hoatzen 一樣而已。

之後，他跳了一班。我與他一起讀的那一年，他讀了六年的數學。開頭的每一個星期就讀一年的數學，這樣過了五個星期，從四年級的書到八年級的書。到了九年級數學的時候，大約就是他當時的程度了，我們就讓他慢慢的做。在那一年中，他讀了六年的數學，兩年其他的科目。

大致上他們的成長就是這樣。我們的教導是跟著他的成長，並沒有逼他趕快，也沒有把他拉慢。跟著他成長進度學習，是最自然的方法，也是應該有的態度。我們不應該限定說，什麼年齡適合學什麼東西，因爲不同年齡的孩子對不同科目的進展不一定都是一樣的。你跟著他的成長，就是最好、最健康的辦法。

關於個性的培養，我們每天跟他們一起讀聖經，讓他們知道人的價值，他們就會彼此尊重、彼此欣賞，欣賞創造者造他們個人的不同。他們兄弟姐妹之間沒有吵架，都是很好的朋友，到今天還是很好的朋友。雖然老大與老四相差幾乎十年，但是他們都是很談得來的好朋友。四個孩子就一直在這種相親相愛的環境中長大。

●一向都是填鴨式的教育，功課繁多，作父母的多多少少會給孩子一些壓力及督促。也許一些天資好又定性的孩子，父母不需要太操心；對於天資一般的孩子，父母卻要加給他們一定的壓力。這樣行嗎？

我們已經講了很多次，父母親不要給孩子壓力。但是在填鴨式的教育制度下，如果沒有辦法脫離那種環境，怎麼辦呢？你可以解釋給孩子聽，我們的責任是照著上帝良善的標準和盡我們的本份。同樣，我們也可以引導他們，讓他們的時間運用得更有效，但是不要施加壓力，讓他們享受讀書的樂趣。換一句話，讓孩子應付不理想的制度，但是了解和追求真正的價值和成功，讓他們也知道和經歷父母的愛、支持和鼓勵。

●孩子的父親常年在國外，一個半月才回來一次，爸爸應該怎麼樣跟孩子互動？媽媽要怎麼樣配合，讓孩子有完整的家庭生活？

如果是正常的爸爸，他不在的時候，可以以電話或者 E-mail 各種溝通的辦法，讓孩子常常覺得他就在身邊，也讓孩子有一個途徑可以與他談話、互動。雖然人不在，其實還與孩子有來往、溝通的機會。媽媽怎麼樣配合呢？媽媽常常要提到爸爸，讓孩子想起爸爸好的那一面，記得爸爸帶過他們去什麼地方。跟孩子商量爸爸回來的時候，有時間可以一家人去什麼地方，或進行一家人可以參與的活動。爸爸不在的時候，媽媽可以常常提到爸爸，孩子就不會覺得爸爸不在了。

如果是不正常的爸爸的話，問題可能就比較大一點。現在有很多正常的家庭，常常爲了經濟、工作的緣故，有一個人不在家，這是很可惜的事情。雖然有時候因爲現實的生活而沒有辦法，但是我們在不完美的世界上還是可以照著上帝給我們的手冊盡量的完美過活。

●如果丈夫未能同心的接受家中的敬拜讚美、讀經、禱告，該如何改進呢？

我們要先看看，丈夫信了耶穌嗎？如果他還沒有信耶穌，在家中妳要帶孩子一起讀聖經、禱告、唱詩歌，最好每一次都可以邀請丈夫參與。若是他不肯參與，也沒有關係，下一次再邀請他。如果他並沒有反對，妳們就可以繼續進行。如果他覺得妳們太吵，那就減少吵的時間，比如他在的時候，妳們就不要唱詩歌，讀聖經、禱告也是可以很安靜的。最重要的只有兩樣事情，就是聽上帝的話和回應上帝的話，只要有讀聖經和禱告就可以了。如果他還是不能同心的話，妳要嘗試繼續給他機會，可能有一天他會答應妳的邀請。

記得我們回答問題的原則。第一、必須要照著上帝尊重個人。祂愛我們所以祂尊重每一個人，我們被造的時候，祂給我們價值和尊嚴。第二、要知道人的問題都是自我中心。第三、解決的辦法必須要照著創造者給我們的辦法。祂是我們能力的來源，我們必須接到能力的源頭，也就是接到創造者。如果孩子比較容易帶領的話，就先帶領他們，請耶穌基督作他們的救主。

怎樣幫助孩子請耶穌作救主呢？我可以給妳一個簡單的方程式。你要請耶穌作救主，聖經中重要的幾點要放在一起。第一、先承認祂是誰。祂是宇宙的創造者，祂爲我的不理想（爲我的罪）死在十字架上，流出祂的寶血。祂的寶血可以洗淨我一切的不理想、一切的不義。祂從死裡復活，因爲祂是生命的主宰，所以祂可以給我新的生命。第二、懇切向主耶穌基督說我要**祢**。我誠懇的求**祢**住在我心中，作我的救主，管理我的一生。第三、悔改。過去的方向走錯了，以前我是自做主張，照著自己的意思行事爲人。現在我知道我的智慧太少，我是有限的，我要悔改轉向對的方向，我要聽從**祢**的話，我要讀**祢**給我的人生手冊。這三樣就是最重要的原則了。

我舉一個簡單的禱告例子（妳也可以把聖經的應許加上去，比如祂給妳的平安喜樂，祂給妳的愛，祂給妳的祝福）。妳可以帶領妳的孩子做以下的禱告，「親愛的天父，我讚美**祢**。主耶穌基督，我感謝**祢**。**祢**是創造宇宙的真神，降世成爲人。因爲**祢**愛我，爲我的罪死在十字架上，流寶血洗淨我一切的不義，從死裡復活給我新生命。我誠懇的邀請耶穌基督，住在我心中，作我的救主，管理我的一生。請**祢**赦免我的罪，就是我自做主張沒有聽從**祢**的話，從今以後我要聽從**祢**的話。求**祢**給我永生，就是**祢**的生命；給我聖靈，帶我進入真理；給我**祢**的平安喜樂，**祢**的愛充滿我的心。祝福我全家，叫我們都信靠**祢**，享受**祢**的愛，帶領我的前途。我這樣禱告是奉主耶穌基督的名求，阿們！」

妳可以用以上的禱告，帶領妳的孩子邀請耶穌基督作救主。這樣，我們很多的問題就有力量來解決了。

●聖經是一本很長的書，很多地方是記載歷史的事實。但是，我現在需要一些能源來教導小孩，也希望能改變自己。我應該從哪裡找起？從哪裡看起呢？

當然，我們如果從頭開始講的話，可能就很長了。現在，我先給你一些重要的經節，讓你做一個開始，好嗎？

我們若要有能源，就必須先要有生命，而生命就要接在生命的源頭。約翰壹書五章12節：「人有了神的兒子就有生命；沒有神的兒子就沒有生命。」所以我們必須要有耶穌基督（神的兒子）才有生命。

約翰壹書五章13節：「我將這些話寫給你們信奉神兒子之名的人，要叫你們知道自己有永生。」如果你已經請耶穌基督作你的個人救主，你就知道自己有永生，因爲聖靈住在你心中。

約翰壹書五章14-15節：「我們若照他的旨意求什麼，他就聽我們，這是我們向他所存坦然無懼的心。既然知道他聽我們一切所求的，就知道我們所求於他的，無不得著。」這裡告訴我們，我們求如果是照著祂的旨意求，就一定得著應允。

祂的旨意是什麼呢？我們來看幾處的聖經。你想改變自己嗎？你要得到力量嗎？比如：許多人很容易生氣，聖經有給我們一些的提醒。以弗所書四章25-28節：「所以你們要棄絕謊言，各人與鄰舍說實話，因為我們是互相為肢體。生氣卻不要犯罪，不可含怒到日落；也不可給魔鬼留地步。從前偷竊的，不要再偷；總要勞力，親手做正經事，就可有餘分給那缺少的人。」

腓立比書四章4節：「你們要靠主常常喜樂。我再說，你們要喜樂。」我們可以得到喜樂，因爲這是上帝應許的。靠主耶穌，不是靠自己，照祂的話而行。

腓立比書四章5節：「當叫衆人知道你們謙讓的心。主已經近了。」我們必須有謙讓的心，讓別人先走。主已經近了，耶穌基督已經很近了，祂快再回來。

腓立比書四章6節：「應當一無掛慮，只要凡事藉著禱告、祈求，和感謝，將你們所要的告訴神。」我們不需要掛慮，每件事情可以藉著禱告，來到上帝面前。祈求，將你的問題陳列給祂，請祂幫助。我們還要感謝祂，因爲聖經告訴我們要凡事謝恩。我們要感謝祂給我們有能力面對各樣的問題，我們可以倚靠祂。

腓立比書四章7節：「神所賜出人意外的平安，必在基督耶穌裡保守你們的心懷意念。」上帝給我們平安，祂會保守我們的心懷意念，讓我們不會亂七八糟。而且，祂是在基督耶穌裡保守我們，這種保守就非常有份量了。

你要有能量、能源嗎？腓立比書四章13節：「我靠著那加給我力量的，凡事都能做。」這節的前面告訴我們要靠主大大的喜樂，無論在任何情況下都可以知足。我們知道如何處卑賤，也知道如何處豐富；知道如何處飽足，也知道如何處饑餓；知道如何處有餘，也知道如何處缺乏。隨事隨在我們都得了秘訣，因爲我們靠著那加給我們力量的，凡事都能做。

我再舉一個例子，歌羅西書四章2-6節：「你們要恆切禱告，在此警醒感恩：也要為我們禱告，求神給我們開傳道的門，能以講基督的奧秘（我為此被捆鎖），叫我按著所該說的話將這奧秘發明出來。你們要愛惜光陰，用智慧與外人交往。你們的言語要常常帶著和氣，好像用鹽調和，就可知道該怎麼回答各人。」我們可以恆切的禱告，求上帝給我們開門。我們可以求該說的話，可以求愛惜光陰，不要浪費機會，用智慧與外人交往。我們的言語要常常帶著和氣，好像用鹽調和，就知道應該怎麼樣回答各人。

歌羅西書三章 12-25 節：「所以，你們既是神的選民，聖潔蒙愛的人，就要存憐憫、恩慈、謙虛、溫柔、忍耐的心。倘若這人與那人有嫌隙，總要彼此包容，彼此饒恕；主怎麼饒恕了你們，你們也要怎麼饒恕人。在這一切之外，要存著愛心；愛心就是聯絡全德的。又要叫基督的平安在你們心裡作主；你們也為此蒙召，歸為一體；且要存感謝的心。當用各樣的智慧，把基督的道理豐豐富富的存在心裡，用詩章、頌詞、靈歌，彼此教導，互相勸戒，心被恩感，歌頌神。無論做什麼，或說話或行事，都要奉主耶穌的名，藉著他感謝父神。你們作妻子的，當順服自己的丈夫，這在主裡面是相宜的。你們作丈夫的，要愛你們的妻子，不可苦待她們。你們作兒女的，要凡事聽從父母，因為這是主所喜悅的。你們作父親的，不要惹兒女的氣，恐怕他們失了志氣。你們作僕人的，要凡事聽從你們肉身的主人，不要只在眼前事奉，像是討人喜歡的，總要存心誠實敬畏主。無論做什麼，都要從心裡做；像是給主做的，不是給人做的；因你們知道從主那裡必得著基業為賞賜。你們所事奉的乃是主基督。那行不義的，必受不義的報應；主並不偏待人。」「奉主耶穌的名」就是在主耶穌之內，和藉主耶穌而行。祂是主，這是大前題。

歌羅西書四章 1 節：「你們作主人的，要公公平平的待僕人，因為知道你們也有一位主在天上。」

既然我們有了耶穌的生命，是上帝的選民，是聖潔蒙愛的人，所以要存著憐憫、恩慈、謙虛、溫柔、忍耐的心。如果這個人跟那個人有什麼嫌隙的話，總要彼此包容、彼此饒恕。主怎麼饒恕我們，我們也要怎樣饒恕人。又要叫基督的平安在我們心裡作主，要把上帝的道理豐豐富富的存在心裡。無論是說話或是行事，都要在耶穌基督的範圍裡面，藉著祂感謝父神。

妳們作妻子的，在耶穌基督的範圍裡當順服自己的丈夫，這在主裡面是相宜的。作丈夫的要照著真理愛你們的妻子，不可以苦待她。你們作兒女的，要凡事聽從父母，因爲這是主所喜悅的。我們看見每一件事情都是用主耶穌作爲標準，「因爲這是主所喜悅的」，主耶穌不會要我們去違反祂所講的話。所以作兒女的要聽從父母，也是在主所喜悅的範圍裡面。你們作父親的，不要惹兒女的氣，恐怕他們失了志氣。你們作僕人的，凡事聽從你們肉身的主人，不要只在眼前事奉，像是討人的喜歡，總要存心誠實敬畏主。無論做什麼都要從心裡做，像是給主做的，不是給人做的，因爲知道你們從主那裡必要得著基業爲賞賜。你們所事奉的乃是主基督，行不義的就有不義的報應。主不偏待人，所以你們作主人的要公公平平的待僕人，因爲知道你們也有一位主在天上。

我們有的時候會擔心沒有能源，讓我們來看希伯來書第二章給我們什麼應許。希伯來書第二章告訴我們，我們有一位元帥，祂是帶我們進入上帝的國度的，因爲祂也曾經跟我們一樣被試煉、被試探。希伯來書二章 14-18 節：**「兒女既同有血肉之體，他也照樣親自成了血肉之體，特要藉著死敗壞那掌死權的，就是魔鬼。並且要釋放那些一生因怕死而為奴僕的人。他並不救拔天使，乃是救拔亞伯拉罕的後裔。所**

以他凡事該與他的弟兄相同，為要在神的事上，成為慈悲忠信的大祭司，為百姓的罪獻上挽回祭。他自己既然被試探而受苦，就能搭救被試探的人。」兒女既然同樣有血肉之體，祂（耶穌基督）也照樣親自成了血肉之體，特別要藉著死來敗壞掌死權的魔鬼。並且要釋放一生因爲怕死而爲奴僕的人。祂成爲我們的大祭司，獻上自己作挽回祭。耶穌基督自己既然被試探而受苦，就能夠搭救被試探的人。所以耶穌基督一定可以救我們，賜給我們力量。

魔鬼引誘我們犯錯的時候，上帝可以給我們力量。雅各書一章 19-25 節：「我親愛的弟兄們，這是你們所知道的。但你們各人要快快的聽，慢慢的說，慢慢的動怒；因為人的怒氣並不成就神的義。所以你們要脫去一切的污穢和盈餘的邪惡，存溫柔的心領受那所栽種的道，就是能救你們靈魂的道。只是你們要行道，不要單單聽道，自己欺哄自己。因為聽道而不行道的，就像人對著鏡子看自己本來的面目，看見、走後，隨即忘了他的相貌如何。唯有詳細察看那全備、使人自由之律法的，並且時常如此，這人既不是聽了就忘，乃是實行出來，就在他所行的事上必然得福。」我們知道，聽了之後就去行，而不是聽了就忘記，我們就有力量了。

彼得前書三章 1-12 節：「你們作妻子的，要順服自己的丈夫；這樣，若有不信從道理的丈夫，他們雖然不聽道，也可以因妻子的品行被感化過來；這正是因看見你們有貞潔的品行和敬畏的心。你們不要以外面的辮頭髮、戴金飾、穿美衣為裝飾；這在神面前是極寶貴的。因為古時仰賴神的聖潔婦人，正是以此為裝飾，順服自己的丈夫；就如撒拉聽從亞伯拉罕，稱他為主。你們若行善，不因恐嚇而害怕，便是撒拉的女兒了。你們作丈夫的，也要按情理和妻子同住；因她比你軟弱，與你一同承受生命之恩的，所以要敬重她；這樣便叫你們的禱告沒有阻礙。總而言之，你們都要同心，彼此體恤，相愛如弟兄，存慈憐謙卑的心。不以惡報惡，以辱罵還辱罵，倒要祝福；因你們是為此蒙召，好叫你們承受福氣。因為經上說：『人若愛生命，願享美福，需要禁止舌頭不出惡言，嘴唇不說詭詐的話，也要離惡行善，尋求和睦，一心追趕。因為主的眼看顧義人，主的耳聽他們的祈禱；唯有行惡的人，主向他們變臉。』」

作妻子的要有長久溫柔、安靜的心，貞潔的品行和敬畏的心。作丈夫的要了解妻子，按情理、按知識跟她在一起，因爲如果不敬重妻子，禱告就有阻礙了。你們都要同心，彼此體恤，相愛如弟兄，存慈憐謙卑的心，不以惡報惡，不以辱罵還辱罵，反過來倒要祝福。我們是因爲這個緣故蒙召的，讓我們可以享受福氣。人若愛生命願享美福，要禁止舌頭不出惡言，嘴唇不說詭詐的話，也要離惡行善，一心的追求和睦。因爲主的眼睛看顧義人，主的耳朵聽他們的祈禱。行惡的人主向他們變臉，所以我們只要行善，不要以惡報惡。我們如果是有好的行爲，上帝是公平的，祂的眼睛必看顧義人。

我們過去如有得罪人的地方，聖經雅各書也有給我們提醒。雅各書五章16節：「所以你們要彼此認罪，互相代求，使你們可以得醫治。義人祈禱所發的力量是大有功效的。」所以我們要彼此認罪，互相代求，使我們可以得到醫治。

很多的事情我們不了解，但是聖經給我們許多的應許。有的時候我們很軟弱，羅馬書第八章告訴我們，當我們軟弱的時候，聖靈會幫助我們，上帝的靈會幫助我們。羅馬書八章26-27節：「況且我們的軟弱有聖靈幫助，我們本不曉得當怎樣禱告，只是聖靈親自用說不出來的嘆息替我們禱告。鑒察人心的，曉得聖靈的意思，因為聖靈照著神的旨意替聖徒祈求。」約翰壹書五章也同樣告訴我們，我們求如果是照著上帝的旨意，就一定得著。這裡也告訴我們，聖靈在替我們禱告，聖靈是照著上帝的旨意來求，所以聖靈替我們求的是大有能力的。

羅馬書八章 28 節：「我們曉得萬事都互相效力，叫愛神的人得益處，就是按他旨意被召的人。」所以你、我的責任是什麼呢？是作一個愛神的人。如何作一個愛神的人呢？約翰福音十四章 15 節：「你們若愛我，就必遵守我的命令。」所以愛耶穌的人，就是遵守祂命令的人。

當你讀聖經讀到上帝的命令的時候，你就應當遵守。你若遵守耶穌的命令，你就是愛祂的人了。羅馬書八章 28 節的應許就是給你了，我們曉得萬事都互相效力，叫愛神的人得到益處。希望這是給你的一個開始，讓你更有興趣繼續去看這一本人生的手冊。

●弟兄姐妹之間常常有爭吵，要從小教他們彼此相愛。愛是什麼呢？

愛是恆久忍耐，我們成人本身要有忍耐，也要教孩子彼此忍耐，可以承擔刺激。愛是有恩慈，應當以建設性、正面的來幫助孩子，給他們建設性的講話；彼此的幫助不是彼此批評，彼此罵來罵去。愛是不嫉妒，讓孩子知道爸爸、媽媽不會對某一個人的愛比較多，聖經裡有很多這樣的例子，教導我們不要偏心；也不要讓他們弟兄姐妹之間彼此嫉妒。

愛是不自誇、不張狂。我們要教導孩子們之間不會有誰比誰好，而是每個人要看別人比自己強。弟兄姐妹之間可以彼此欣賞上帝在他們身上所創造的 — 上帝給每個人不同的才幹。父母親也要常常這樣的鼓勵，孩子就會吸收，不會爭吵了；有做錯、有講錯話的時候，他們就能謙卑的承認錯誤。

愛是不求自己的益處，我們要教導孩子常常爲著別人著想。

愛是不做害羞的事。自己不做一些讓你的家人覺得很害羞的事，也不要隨意羞辱你的家人，讓他們覺得沒有面子。作父母親的要彼此尊重，不要在孩子面前讓爸爸或媽媽覺得被羞辱，也不要在其他人面前羞辱我們的孩子。孩子做錯什麼的時候，不用在他朋友面前提醒，「啊呀！你不記得你那一次是怎麼樣做錯了。」或者，「你記得你上個學期的成績是多麼差嗎？」

記得有一次，我們招待一對客人。由於跟他們不熟，這位妻子上車後就介紹了自己的丈夫。她說：「我丈夫是一個很忠厚的人，不過不大聰明。」請問這樣介紹好嗎？我心裡想，前半句很好，後半句卻在人家的面前羞辱了自己的家人。如果妻子講話的時候，她的丈夫卻在旁邊說:「妳懂得什麼？」這就是羞辱她了。對孩子也是一樣，我們要幫助他們弟兄姐妹之間的彼此尊重，不要彼此羞辱。「讓我做啦，你做得又不好！」這樣的說法也是羞辱。

愛是不生氣，不被激怒的。常常有人說，是孩子把我激怒啊，所以我才生氣啊！這是一個推卸責任的講法。我們每一個人可以選擇要不要生氣，更可以選擇人家可以激怒我，而我卻不接受他的激怒，也不生氣。如果你選擇得對的話，你的愛就可以表達出來。千萬不要生氣，家裡沒有人生氣，氣氛就會好，因爲聖經說人的怒氣不能成就上帝的義。

我們用愛的標準來教，還有什麼呢？愛是不計算人家的惡。孩子做錯，丈夫或妻子做錯了，就不要一再的描、越描越黑，不要把以前做錯的事情一一拿出來述說。如果他錯了，悔改、認罪、得到赦免了；上帝可以赦免他；你也赦免他得罪你的地方；他本身也要接受赦免。悔改不再犯罪，也不需繼續定自己的罪。

愛是不喜歡不義，只喜歡真理。真正的愛必須要照著真理，不是真理就不是愛了。

愛，凡事包容，在合乎真理的範圍之中，彼此包容不同的個性和做事方法。凡事相信，彼此信任。凡事盼望，不要放棄，不要絕望。凡事有耐力，在壓力之下可以支持。愛是永不止息，永不跌倒的。

●妳覺得自己教育子女的方法有什麼優點？可否除去宗教信仰的成份？

●妳的親和力和笑容，讓人如沐春風。可否盡量減少宗教意味的話題，多講一些建設性的話語？

這些朋友不了解什麼？他們不了解，我沒有在講宗教，我是在講真理。宗教信仰是無所謂的，誰都可以製造一個宗教出來！你要信什麼，是你的權利，你也可以選擇什麼都不信。宗教信仰與教養兒女的真理是沒有關係的，我們要的只是真理，就如愛必須要照著真理。

誰才有真理呢？如果你記得我曾經說過的話，一輪汽車的真理唯有車廠才曉得；他是這個機器的設計者，他知道有關這個機器的真理，我們只須照著來自設計者給我們的手冊去做，就可以把這車子開得很好，可以達到它原來被造的目的了。人也一樣！有一位設計者，我們也要照著這位設計者所告訴我們的話去實行，因爲只有祂有真理。

你有沒有看見我從來不講宗教，我也不信教？人家說，你是不是信基督教呢？你要告訴他，我不信基督教，我是跟從宇宙的創造者 — 耶穌基督。祂創造了這個宇宙，祂告訴我的我就聽，這不是一個「宗教」信仰。你呢？你也不要有宗教信仰，你要的是宇宙的創造者。有一次在加拿大，當我這樣解釋之後，有一位女士就來跟我談。她說：「妳今天給了我一把鑰匙；我就是在追求這個宗教、那個宗教，現在我發現我要追求的是宇宙的創造者，不是宗教。」

當我們講到愛必須要照著真理的時候，我們就要知道誰有真理。如果你覺得耶穌基督不是宇宙的創造者的話，你就要去做研究，證明給我看耶穌不是創造者，我就跟從你。再去找誰才是創造者。在我自己的研究過程中，我從科學、歷史、考古學各方面來看的時候，我發現耶穌基督真是就如祂所說的一樣，祂是宇宙的創造者。既然祂是創造者，我就跟從祂，祂說的是真理；愛必須要照著真理，不照創造者的真理就不是愛。

真理重要嗎？我們可以舉例說明，來看看真理是多重要。我們服藥，很多的藥看起來都差不多一樣，都是圓型，多數都是白色的。是不是隨便服用都可以？當然不是了，因爲不同的藥有不同的藥性，用錯的話，不會治病，可能還會害到你。你要遵從的是真理，有關這個藥的真理。不同的病需要不同種類、份量的藥。事實上，有一些產婦生了孩子之後，因爲沒有追求真理，只聽信人家所講的補品，人參、高麗都是補的嘛！她以爲是補，沒有分辨的話，剛生了孩子，服用這類的「補品」，結果就流血不止了。這當然是很可怕，所以一定要追求真理，愛也必須要照著真理而行。

孩子肚子痛，我們又沒有分辨是什麼病，只是讓他服藥止痛。可能他是盲腸炎，止了痛就不覺得痛，最後他的盲腸破爛，就變成腹膜炎。我們回頭問，這位家長愛他的孩子嗎？感情上，好像是愛。有沒有害了他的孩子？當然是害了。爲什麼？因爲沒有遵從真理的愛就不是愛，可能會害了對方。當我們了解真理的重要，你愛你的孩子，就必須追求這愛之源頭，宇宙的創造者；祂說什麼是愛，你就照著這個愛的原則來做。父母親有的時候，因爲很愛孩子，所以要他們聽話。我們甚至說，「你吃我的飯，住我的房子，你就要聽我的話。」我們是誰？我們不是創造者。我們這樣做的時候是不是真理呢？恐怕不是了！我們的智慧不夠，我們的好意可能不是真理，可能會害了孩子。

今天有很多家庭裡面的爭吵，都是由我的意見、你的意見造成的。讓我們回頭尋找，創造者的意見是怎麼樣，我們全家就跟從，這樣才是真正的愛，不然我們的愛可能最後變成害了。今天很多的家長都說我愛我的孩子，常常幫助孩子，替他做他應該做的。孩子小的時候，他接受你的幫助，但是孩子大了，他就覺得你在管他。你的好意在你看來是在幫助，在他看來你卻是在管他。他說，「你不尊重我，沒有問我，沒有讓我自己做，所以你不尊重我。」這是很可憐的！

如果父母親的愛沒有照著真理的話，孩子不會感受到愛，還以爲你在害他。如果父母親的愛沒有照著真理的話，到頭來我們可能會發現，沒有幫助到孩子，反而是害了他。真愛必須要照著聖經所講，這種的愛就可以凡事包容了，因爲我們可以彼此接納，接納上帝造他是這種的個性。他做事情慢，我就讓他慢慢做決定。小時候我可以給他建議，讓他自己決定；大一點的時候，我可以用我的經驗，照著聖經的真理給他一些建議，還是讓他自己做決定。

要告訴他，決定是他的事。如果他不做決定的話，時間過去了，他就要承受後果，因爲他沒有做決定的話，就變成人家替他做決定了。比如學校的申請，申請的時間快到，孩子還沒有申請的話，你可以幫助他。你可以說，有什麼我可以做？我可以替你去圖書館找什麼材料嗎？如果他不要你幫助的話，時間會過去，我們要讓孩子知道，如果你做決定，這個決定是你的；如果你不做決定，是人家替你做決定了；因爲人家就替你做了「你不能入學」的決定。

當我們照著真理來愛孩子的時候，我們就不會寵孩子，我們會接納他的個性，我們會照著他的個性來引導他。對與錯的真理是不可以討價還價的，真理確是真理，孩子要聽從，父母親也要聽從。父母親要包容孩子。包容，不是他錯了也包容，任他錯下去，「可以啦！沒關係」；而是保護孩子比較慢、弱的那一方面，保護他而不要笑他。凡事都可以相信，建立兒女之間彼此的信任，建立父母兒女之間的信任。我們可以彼此相信，因爲是建立在上帝的愛上面，我們可以永遠有盼望。如果你有了耶穌基督永恆的生命，有生命就有盼望。好像我們古人所說，「留得青山在，不怕沒柴燒」。你有生命，就有盼望，一切就還可以再進步。如果你已經是四十、五十、六十、七十、八十歲了，你也不要說，「已經不能改了，已經太老了！」有生命的一天，你就可以進步。對孩子也是一樣，上個學期讀得不好，沒關係，再來過。

兄弟姐妹之間過去有爭吵嗎？不要緊，我們還可以進步，我們現在學習彼此尊重、彼此相愛。愛是可以凡事忍耐，意思是說我們可以承擔壓力，在壓力之下還可以承擔。世界上有很多的壓力，但是在壓力之下，我們可以承擔，因爲我們有生命，我們有愛，我們有宇宙的創造者，祂給我們的愛是永不止息的。當我們有耶穌的生命，就有這能力了。

●我的孩子已經高三了，先生還沒有信主，怎麼樣開始家庭靈修？

孩子長大了，可以跟他商量。妳說，今天聽了之後，我覺得我們人生有很多的錯誤失敗，都是因爲沒有照著人生的手冊來行；我很想在你還沒有離開家庭之前，可以享受與你一起來讀這本人生的手冊，你可以幫助我作一個更好的媽媽。先生還沒有信主，妳可以邀請他一起讀。如果孩子不要的話，妳可以自己先讀。如果還有更小一點的孩子肯與妳一起讀聖經，妳就從他們開始，不要因爲有人不肯，妳就犧牲那位小的。

如果妳家裡的孩子還沒有高三的話，請妳趕快開始，每天與他們一起學習上帝的話。妳學了之後，妳照著做，孩子也可以從中看見上帝話語的真理，他們也會照著做。真是巴不得你們每家都是從開頭就讀聖經，遵從天父的話，就一定可以避免問題，享受天倫！

●聖經是做人與教孩子的標準，但是社會還有它的法律，生意場上也有它取勝的規則。我們應該怎樣看這些法律和規則呢？當這些規則與聖經有衝突的時候，應該怎麼辦？

如果是很明顯的衝突就很容易辦了，因爲順從人而不順從神是不應該的，聖經講得很清楚，最高的法律是創造者的法律。如果兩者沒有衝突的時候，聖經告訴我們，我們應當順從人的法律。比如開車速度的規定，是人的法律，又與聖經的法律沒有衝突，我們就順著社會的法律不要超速。聖經並沒有說紅燈時要停，這個是人的法律，爲的是彼此尊重，尊重另外一個方向來的車子，我們就遵從這些法律。

雖然生意場上各有取勝的規則，我們還是要問到底誰真正曉得怎麼樣賺錢，是人還是上帝？聖經也告訴我們賺錢的辦法。聖經說，你把你應該放在上帝庫中的錢（十份之一）放進上帝的庫中，祂就會打開天上的窗戶傾福氣給你，讓你無處可容，讓你沒地方可放，上帝當然懂得做生意。

「我兒，不要忘記我的法則，你心要謹守我的誡命；因為他必將長久的日子，生命的年數與平安，加給你。不可使慈愛誠實離開你，要繫在你頸項上，刻在你心版上。這樣，你必在神和世人眼前蒙恩寵、有聰明。你要專心仰賴耶和華，不可倚靠自己的聰明；在你一切所行的事上，都要認定他，他必指引你的路。不要自以為有智慧，要敬畏耶和華，遠離惡事；這便醫治你的肚臍，滋潤你的百骨。你要以財物和一切初熟的土產，尊榮耶和華。這樣，你的倉房，必充滿有餘；你的酒醉，有新酒盈溢。」（箴言三章 1-10 節）

有什麼比上面所應許的更貴重嗎？你做生意嗎？上帝告訴我們，不要使慈愛和誠實離開你，就可以使人家喜歡與你做生意，可以更有智慧的做生意。這是上帝的智慧，祂懂得怎麼樣做生意。我們不要以爲自己有聰明、智慧；要專心仰望耶和華，倚靠祂。離開惡事，壞的事情不要做，桌底下的錢不要拿，犯法的事情不要做。

世界上的法律，如果不是違反聖經的話，我們都要順從。你應當交的稅，你一定要照交，不可收取一部份不記賬而逃稅。我認識一對開餐館的夫婦，他們做了幾十年，餐館越開越多，現在快要退休了，開始賣出他們的餐館。這位妻子告訴我們，他們從來沒有兩本簿子的，照著應該交的稅去交。上帝祝福他們，上帝是懂得怎麼樣做生意。上帝看爲惡的事不要做，不但叫你健康，還醫治你的肚臍，滋潤你的百骨。

怎樣可以有錢剩下呢？你要奉獻。原來上帝懂得做生意的，你可以把你應該奉獻給祂。收入（就是聖經所提的初熟的土產）的十份之一要獻上，當然還有其他不同的奉獻，十份之一是最起碼的了。

過去上帝曾給你一些的管教嗎？不要輕看耶和華的管教，也不要厭煩祂的責備，因爲耶和華所愛的，祂必責備，正如父親責備所喜愛的孩子。

「得智慧，得聰明的，這人便為有福。因為得智慧勝過得銀子，其利益強如精金，比珍珠寶貴，你一切所喜愛的，都不足與比較。他右手有長壽，左手有富貴。他的道是安樂，他的路全是平安。他與持守他的作生命樹；持定他的俱各有福。耶和華以智慧立地，以聰明定天。」（箴言三章 13-19 節）

是的，你看上帝的創造是充滿著智慧。當我們照著上帝的智慧和祂的謀略來做的時候 — 不讓上帝的話離開你的眼目 — 祂就必作你的生命，必作你頸項上面的美麗的裝飾，你就坦然行路，不至於蹤腳，不會跌倒了，你躺下也不懼怕，可以在那裡睡得香甜。

不久之前，有一位已經信主的姐妹不能睡覺，結果我們發現在她過去的生活上有很多偶像的背景。她沒有全部否認這些拜偶像的背景，沒有全部宣告跟這些靈斷絕關係。我們解釋給她聽，讓她自己認罪禱告，宣告跟這些靈全部斷絕關係。自從那一天開始，她就睡得香甜了；耶和華所親愛的，必叫她睡得好。我們把她家裡所有與偶像有關的東西都除掉，讓她的家沒有破口，不讓魔鬼有機會在上帝面前控告她。

「耶和華所賜的福，使人富足，並不加上憂慮。」（箴言十章22節）

耶和華應許給我們的福氣，是叫人富足、夠用，並不加上憂慮。有很多有錢的人，錢越多，心中越充滿著憂慮。你要的是什麼？上帝懂得怎麼樣做生意，不需要怕，照著上帝的規矩來做。做生意的規則，你以為可以取勝嗎？如果與上帝的話有衝突，你就要跟從上帝的話。祂是無所不知的，祂什麼都知道，祂會幫助你；你照著祂的原則做，祂會祝福你的生命，給你的福氣是富足，而沒有加上憂慮。

●妳講聖經是生命首要的冊子，最近台灣有一個牧師對聖經已經很熟，但是為什麼他會犯罪？美國克林頓總統對外自稱為是一個基督徒，為什麼他會有婚外情？為什麼社會中有那麼多的平民也是有婚外情呢？美國克林頓總統所發生的緋聞對美國社會產生的影響是怎麼樣？我們北美身為父母的人，對這件事情要怎麼樣的教導兒女？教會應該怎麼樣做？

為什麼自稱為基督徒的人會犯罪？一、可能他們不是真正基督徒，而只是自稱的基督徒。二、可能是跌倒的基督徒。

「耶穌說，凡稱呼我主啊主啊的人，不能都進天國，唯有遵行我天父旨意的人才能進天國；當那日，必有很多人對我說，主啊主啊，我們不是奉祢的名傳道，奉祢的名趕鬼，奉祢的名行很多異能嗎？我就明明的告訴他們說，我從來不認識你們，你們這些做惡的人離開我去吧！」一個自稱是基督徒的人，可能耶穌會對他說，「我從來不認得你們，因為不是稱呼我主啊主啊，就可以進天國，唯獨遵行天父旨意的才可以進去。」我們不需要去評價一個人是不是基督徒，那是上帝的事情。反而，更應把握自己，我要遵從天父的旨意，而不只是掛一個名就算了。

克林頓總統的婚外情緋聞是非常丟臉的事情，美國又是一個可以公開這種醜聞的社會。我們學到什麼呢？我們學到總統也是人而已，一個掌權者也是人而已。就如中國古代天壇告訴我們的，掌權者在天之下，不可以照著自己所喜歡的來掌權，他必須行天道，替天行道。上帝的話講得非常清楚，「不可以姦淫」，美國的總統在這件事上錯了！他也是一個罪人，可以悔改，可以回頭請耶穌赦免，因爲他跟我們一樣，上帝可以赦免他。只要他悔改承認自己的過錯而不再犯罪，上帝可以給他力量敵擋這些誘惑。

「我們若認自己的罪，上帝是信實的，是公義的，必要赦免我們的罪，洗淨我們一切的不義。」（約翰壹書一章）

對美國社會的影響是什麼？「總統都這樣，無所謂了，我們大家也都可以做。」事實上，社會的回應的確如此，「他要做什麼是他的事情，總之我們有飯吃，生意發達，有錢進來就可以了。」這是非常錯誤的看法。今天的社會都是以錢來決定。就像一個作妻子的認爲，總之丈夫給我錢就算了，他要不要去找妓女，沒有什麼不對。這種妻子對不對呢？她把自己當做妓女了，只爲著錢，太可憐了！

我們身爲父母的，要把這些新聞拿來與孩子討論，「你看，這個世界已經離開上帝的話，不知道上帝所講的；姦淫是死刑，在上帝的法律之中是死刑，違反上帝的律法是死的。」我們要與孩子談，就如聖經所講的，隨時隨地，無論你坐在家裡，行在路上，躺下、起來，都要談論上帝的話。

希望你信的不是基督徒，也不是這些自稱爲基督徒的人，不要看他們，你要單單的看耶穌基督。你看耶穌有沒有做這種的事情？耶穌行給我們看，祂是十全十美的。祂是創造者到我們的歷史中來，讓我們看見一個正常的人應該是怎麼樣，讓我們看見，當我們回頭找祂的時候，我們的社會可以每一個人遵守祂的話。請你相信耶穌基督，而不要相信基督徒，更不要相信某一些自稱是基督徒的人。

如果你看見自稱是基督徒的人犯罪跌倒，因此你不要跟從耶穌基督。那就像你在一個火燒的房子裡面，你看見逃出去的人在那裡打架、搶東西、做壞事，你就不逃出去：「因爲逃出去的人都在做壞事、比我還差。」當然不是了！你應該做的，是離開滅亡的地方，而進到耶穌基督的救恩裡面；只是你不需要學那些人，你要學的是耶穌基督。

教會也應該以此爲警戒，「所以自己以為站得穩的，需要謹慎，免得跌倒。」（哥林多前書十章）同時重申上帝的慈愛與公義，「耶和華是有憐憫，有恩典的上帝，不輕易發怒，並有豐盛的慈愛和誠實，為千萬人存留慈愛，赦免罪孽過犯和罪惡。萬不以有罪的為無罪。」（出埃及記三十四章）

●今天台灣發生了很多的亂象，如綁票、強暴、搶劫、公司惡意倒閉，大部份的人都有無力感。就眞理而言，當代基督徒的責任是怎麼樣？怎麼樣才可以整合呢？

當代基督徒的責任是趕快傳福音，從心裡面來醫治。只有耶穌基督改變了人心，給人新生命的時候，這些亂象才可以得到解決；唯一的救法是耶穌基督，除此之外，沒有其他整合的辦法。道德都是外在的，法律也都是外在的；如果人心沒有改變的話，就不會真正的改變。就如美國的種族歧視，在法律上種族之間是平等的，但是人心不改的話，在處事待人就無法平等了。改變是從人心開始，所以我們最重要的責任是傳福音。

你要傳福音嗎？聖經給我們傳福音的辦法，是從自己做起。彼得前書三章 15-16 節：「只要心裡尊主基督為聖。有人問你們心中盼望的緣由，就要常做準備，以溫柔、敬畏的心回答各人；存著無虧的良心，叫你們在何事上被毀謗，就在何事上可以叫那誣賴你們在基督裡有好品行的自覺羞愧。」

第一方面，我們要在心裡尊主基督爲聖。我們的生活上要分別爲聖，祂是聖潔的，我也要聖潔。我們的生活必須要照著上帝的原則、真理，我們的行爲要照著上帝的真理，才有無虧的良心。如果人家誣賴我們的話，我們的好行爲反而叫他自覺羞愧。這是第一方面，你的人、你的爲人、你必須是這樣的人，是耶穌基督管理的人，心裡尊主基督爲聖，分別爲聖的跟從耶穌。

第二方面，要常做準備。你現在就可以準備了！聖經讀了多少次？聖經有沒有讀到爛、熟，人家問你的時候，你有答案嗎？還是只照著自己的意思來回答呢？你要用真理來回答。常做準備，人家問你問題，你才能回答。如果你常做準備，上帝給你機會的時候，你就懂得回答了。有人問你們心中盼望的緣由，就常做準備，以溫柔、敬畏的心回答各人。你時時刻刻有準備，當你跟人家講話的時候，自然是溫柔的，不會變成沒有禮貌，也不會變成內容對而表達方法卻錯的回答，如「你不信耶穌你就糟糕了！」

你最重要的行動是趕快傳福音，傳福音就需要你的生活和你的預備。這是我們的本份，不單是在台灣，在所有的社會都需要我們如此的盡責。求上帝幫助你用你的背景來幫助人解答疑問，除去攔阻。比如我，用我科學的背景來幫助人解答科學方面的疑問，叫他們看見科學家的見解不一定是科學的事實，而科學的事實與聖經是吻合的，從來沒有衝突。

父親、母親
時間、金錢

●謝謝蘇博士的提醒，使我們想像到自我形象的接納。由於本身是母親的角色和擔當教養的責任，往往急性子的我沒有辦法在理性之下，提醒自己要接納孩子的個性，以致他出招、我接招，他耍花招、我閃招，沒有安寧。他又是一個過動兒，我不願意以過動兒的邏輯來看待他，一家都快要累死了。疲勞的母親　敬上。

疲勞的母親，我可以感受到妳的疲勞，因爲他出招妳就接招，他耍花招妳就閃招，太辛苦了。怎麼辦呢？妳已經知道妳要接納孩子的個性；妳更要知道，接納他的個性並不意味著他不能有所改變。他可以在他本來的個性上有一些的改變，讓人際關係比較沒有那麼緊張。比如妳自己說妳是急性子的，可能妳做事情太快，以致妳的孩子對妳無法做出太快的回應。

妳可以怎麼樣幫助他？在他本有的個性上面，加上一些可以讓他有所行動的。如果妳的孩子還在家，妳與他的關係又建立得好的話，妳幫他，他是不會怪妳的，因爲他會知道妳是愛他。如果妳以往沒有與他建立起一個愛的關係，妳的孩子又已經長大了，這樣妳幫他的話，他可能會說妳看不起他，或是以爲妳嫌他做事情太慢，或是認爲妳不尊重他，覺得他無能，不能做事情。這些都有很複雜的成份。

如果妳的孩子還小的話，妳還可以建立起一個愛的關係。當有了愛的關係之後，妳要幫他就很容易了。比如他要申請學校，妳不單提醒他，妳還跟他說，今天媽媽有空，陪你去把報名表拿回來，好嗎？或是妳說，你告訴媽媽要寫給什麼學校，我就幫你準備郵票、信封，我們一起來做。當妳這樣幫他的話，他的事情就可以做得快一點了，很多時候他就是藉著這樣的過程學到怎麼樣去做事情。

希望妳的孩子還小，因爲照妳的問題看來，好像他還是一個很小的孩子。希望妳不要急性了，如妳自己所講的，在理性下來提醒自己接納孩子的個性，跟他一起做，幫助他建立一個辦事的態度，一個把事情做得更好的態度。在妳跟孩子的談話中，希望妳有一個比較長遠的眼光。意思是說，妳不是單單應付今天的這件事情，而以更長遠的眼光要把這個孩子帶到一個敬虔的地步，就是他可以自己認同上帝所造的他，也知道上帝所給他的特別才幹，也可以接納其他的人，可以跟妳建立一個好的關係。妳要的不單單是認識自己、認識其他人，妳還要他知道自己的問題根源，也讓他知道怎麼樣來愛，更讓他知道怎麼樣活出一個成功的人生。

當妳用比較長遠的眼光來看的時候，妳今天跟他的交往、跟他的談話就不是只爲著解決這麼一件今天的事情，比如妳花多一點時間慢慢跟他談的話，以後妳就會節省很多需要重複的時間；妳今天把他教好了，以後妳會節省很多教訓的時間。如果妳這樣看的話，妳就不會再急性了，妳就覺得「我今天所做的，不是單單爲著今天，而是爲著他的一生和他與我的關係。」

●妳剛剛提到怎麼樣與父母親交談，如果父母常說命苦，怎麼樣解決呢？

這問題大概是來自一個作兒女的，想要知道如何幫助自己的父母親。父母常常說命苦，這是一個自我形象不健全的表現。如果父母親不認識耶穌基督的話，他「命苦」的觀念可能來自某些思想、宗教、哲學觀念，認爲我們的命是早就定下來的，活到幾歲會死，活到幾歲會生大病，都已經是命定了。

聖經告訴我們，只有一位掌管我們前途的，就是愛你的耶穌基督、造你的耶穌基督。讓祂來管理我的生命，幫助我知道將來怎麼樣，現在怎麼樣，過去有什麼錯誤的地方求祂赦免。當你這樣做的時候，上帝就赦免你的罪，不需要被一些哲學思想影響。當我們來到耶穌基督面前，請祂赦免我自做主張所得到的不理想結果，也可以邀請耶穌基督住在我心中，把原來的理想生命給我。當我們邀請祂來管理我們的生命，祂就可以把我的生命發揮得最美麗，因爲祂造我時已知道怎麼樣來發揮我，祂要的只是我們的同意，我們答應了，祂就可以立刻動工。

父母親命苦嗎？你告訴他們，有一位可以改變你的命，就是那一位創造你的。另外一方面，父母親常說命苦，可能也是藉機說你們沒有好好的對待他們。如果是這樣的話，你就要跟你的父母親有真正談話的機會，看看他們心目中的好命是怎麼樣的，他們要的是什麼。你就照著聖經所講的，可以辦的就爲他們辦，比如他們希望可以住得好一點，如果能力可以辦得到，你就給他們住好一點的地方；又比如他們喜歡吃什麼東西，你的能力可以辦得到的話，你就給他們吃。你能力可以辦到的，衣食住行的改善，你就替他們辦。

還有一些不是你可以辦得到的，比如你的父母親一定要跟結了婚的兒女一起住的話，這倒不一定你要照著做。可能他們說，「你不跟我一起住的話，我就是命苦了；我生了一個兒子，結了婚就不見了。」如果他們堅持自己的「對與錯」，而不聽從創造者的「對與錯」，你也沒有什麼辦法。你可以解釋給他們聽，我做的沒有錯，因爲我尊重你們，你們把我養大了，你們過去怎麼樣照著你們的知識來養我。雖然你們的知識是有限，因爲你們不認識耶穌基督，但是我們同樣的感謝你，也希望你越來越靠近上帝，因爲得到上帝就得到福氣。你可以解釋給他聽。

如果你還是中學生，你要在日常的生活上體貼幫助父母，表達你的愛和感恩、用功讀書、守信用，得到父母的信任之後，就能夠與他們談心，了解他們而幫助他們得到真福氣。

●妳講到作丈夫的在婚姻裡是要帶來安全感，在家裡要帶來安置、安慰。爸爸整天都是晚上上班，四、五歲的兒子自己睡覺經常覺得很害怕，睡到半夜會被嚇醒。請問是不是跟父親有關呢？

可能有，但是不必要。聖經的確有講到，男人被造的時候，有四件事情必須要做。聖經提到作父親的有四樣責任，在開始創造的時候就已經提到。第一、要安置。第二、他要爲家裡帶來安全感，帶來安慰。第三、服事這個家。第四、看守這個家。家裡有什麼需要，他就要服事；他必須看守，外面的危險不會進來，裡面的人也不會走錯路。這四方面的責任，父親如果沒有做到的話，家裡自然而然會受到影響。

爸爸在晚上上班，是不是一定會帶給孩子不安全的感覺呢？那就要看看媽媽是怎麼做的。如果是因爲爸爸晚上上班，媽媽覺得不安全，那是另外一個問題了。上帝造女人的時候，祂說，我要爲他造一個配偶幫助他。所以身爲女人是要幫助男人完成他的責任。爸爸經常上夜班，但是媽媽能夠幫助爸爸完成他的責任，起碼在安全感的問題上，媽媽完成帶來安全感的責任。如果媽媽可以這樣做的話，那麼孩子就沒什麼問題了，因爲有媽媽在就可以了！

上帝造我們有父母親，實在是太完美了。一個人不在，還有另外一個人取代，是不是？因爲我們是在時空的控制之下。然而作媽媽的，如果覺得不安全，妳的孩子當然也覺得不安全了。怎麼樣才能夠得到安全呢？妳有一位父親，妳有一位天父，祂特別應許我們，祂是隨時隨地跟我們在一起的。妳請耶穌基督作妳的救主，讓耶穌住在妳心中，同樣的妳也幫助孩子請耶穌作救主，耶穌也就住在他們心中了。我們的創造者通過祂的靈（聖靈）住在我們心中，我們就不需要害怕，因爲祂是二十四小時，每天、每時、每刻都跟我們在一起。

當孩子感到害怕的時候，妳可以幫助他說，我們把信心放在爸爸身上是錯的，我們應該把信心放在天父的身上，那才是對的。妳這樣向孩子解釋，孩子就不會再害怕了。我們曾經回答過有關怕的問題，可能妳可以做一些參考。

●爲什麼教養孩子是父親的責任？

沒有爲什麼，因爲聖經是這樣講的。聖經告訴我們，家的責任是交給父親、丈夫。

什麼是責任呢？責任就是將來交賬的時候、審判的時候，創造者會問作父親、作丈夫的，他有沒有盡了看顧家的責任？他有沒有盡了聖經所提的四方面的責任？他有沒有安置、定位，他有沒有帶給家庭安慰、安全感？他有沒有服事他的家？他有沒有看守他的家？這些都是創造者給他的責任。媽媽的責任又是什麼呢？幫助爸爸完成他從上帝所得到的責任。聖經裡特別提到，「你們作父親的，不要惹兒女的氣，只要照著主的教訓和警戒來養育他們」。聖經裡特別提到父親，可能是因爲在社會上，我們常常忽略了父親在家庭裡的責任，所以上帝的話要特別提醒我們。

●有一位姐妹，她在丈夫經濟能力不足夠供應家庭的情況之下出來工作，工作很忙，回家以後又要煮飯、做家務、照顧孩子，常常忙到很疲倦。爲此她常常容易發脾氣，她也感到對不起孩子，不能有多一點的時間來陪伴他們。她應該怎麼做？

首先，她在丈夫經濟能力不足夠供給家用的時候出來工作，這是很自然的事情。但是，爲什麼一定是她回家的時候煮飯、做家務、照顧孩子呢？請問她的丈夫在做什麼？家裡所有的工作都應該一起來做，因爲丈夫也要服事這個家。家務一起做，孩子一起培養。如果丈夫沒有做到，那就失去了他的責任。因爲疲倦就可以常常容易發脾氣嗎？發脾氣是不能有理由的。我們不可以因爲有一個藉口，就常常發脾氣。發脾氣本身就是不對的，因爲「人的怒氣不能成就神的義」。所以，無論在什麼情況之下，上帝都不要我們發脾氣。

她做事做得很疲倦是可以改善的，她可以研究一下怎麼樣節省時間，怎麼樣跟孩子一起做家務，如何分工合作。一個人的體力實在是有限，如果大家一起分工合作就不會太疲倦了。如果她有丈夫、有孩子，這個家就不單單是她一個人在做，應該大家一起做。不夠時間與孩子在一起，她可以在做家務的時候跟孩子一起做，這樣就多一點時間陪孩子啦。對不對？孩子也可以藉此多一點時間跟媽媽在一起。給孩子的時間，不一定是另外撥出來的一段時間，它可以是妳在做家務的時間，跟他一起做功課的時間，或是跟他談話的時間，吃飯的時間等等，這些都是可以的。我希望她可以重新安排一下自己的時間，照著她的孩子的年齡，跟他們一起做孩子可以做的事情。

●怎麼樣讓家裡的男人可以分擔一些照顧孩子的責任，讓孩子有一個好的模式可以模仿呢？

怎麼樣讓家裡的男人來分擔家務？各位如果還沒有結婚的話，在還沒有結婚之前，妳就要先找懂得分擔家務的人，那麼妳就不需要煩了。這個男人必須知道他本來的責任，他是要服事這個家，那妳才好跟他結婚。這個男人原本就知道作丈夫的責任，他曉得是在負一個家庭的責任，他會幫助家裡的每一份子盡量的達到創造者造他們的目的，他會尊重家裡的每一份子，這種人妳才好跟他結婚。已經結了婚的人，就無法再換了。怎麼辦呢？妳只好承認對不起自己了，因為以前並不曉得。因此，妳現在要幫助妳的孩子明白，讓他們將來結婚的時候，不需要再面對同類的問題。

如何知道一個男人將來會不會分擔家裡的事情呢？很簡單，妳可以從他跟他家庭的關係看出來。妳看他跟自己家人的關係是不是健康的？他在家裡是不是也有分擔家裡的事情？他跟弟兄姐妹的關係怎麼樣？他跟其他人的關係又是怎麼樣？妳要選擇的是一個正常的男人，他知道他是誰，知道自己的尊嚴、自己的價值。同樣的他也尊重其他人的價值、其他人的尊嚴，這才是一個正常的男人。

●一個丈夫在教育子女的事情上，應該扮演什麼角色呢？

當然，丈夫在各方面都是可以做的。每一個丈夫都不同，他們的才幹也不一樣。至於我的丈夫，他扮演著一個很重要的角色。他不單供應家裡經濟上的需要，另外一方面非常重要的，他帶領全家人每一天讀聖經，每天不間斷的靈修生活。當他不在的時候，其他的人也都已經養成習慣，所以我們每天都有一段時間，學習創造者要告訴我們的話。從中讓我們全家學習以同樣的價值觀、同樣的法律來管理我們的家。

一個作丈夫的，如果他可以做到全家人都在上帝的話語下學習的話，那麼他的角色就非常的成功、非常的重要。只要我們學習愛上帝，知道上帝給我們的法律都是爲著愛我們，我們也知道怎麼樣來跟從，這個家庭的方向就對了。作爸爸的如果有榜樣，讀聖經，照著做，這樣孩子不但是讀聖經的時候學習，他們也有可以有跟從的榜樣了。我們若告訴孩子要每天讀聖經，而作爸爸、媽媽的，在家裡也是每天讀聖經的，你的孩子是會看見的。

事實上，我有一位同事，是一位交換學者，跟我是在同一個實驗室的。她告訴我她媽媽是信耶穌的，她後來也信了耶穌。她是怎麼信耶穌的呢？在一個不可以告訴孩子關於耶穌基督事蹟的情況之下，她看到媽媽每天跪在床前禱告，這給了她一個非常深刻的印象。這件事情影響了她後來爲什麼這麼容易就信耶穌。

爸爸所要扮演的角色是做給你的孩子看，讓孩子知道你跟上帝的關係是真實的。你聽從上帝的話，不是講一樣做一樣。媽媽也要幫助爸爸完成這個責任，妳自己也幫助孩子學習上帝的話，跟從聖經所講的，不是做一樣講一樣。你們是言教身教，在內在外都是一致的。你們沒有什麼秘密是孩子不知道的，因爲你們是透明的，孩子可以看到你們的生活。你們的生活若是遵從上帝所講的，那麼作丈夫、作妻子、作爸爸、作媽媽的，你們是表裡一致，當然你們的孩子就很容易教了。

●父母親如何一致的教育小孩，尤其是在做人方面？

教育小孩要一致只有一個辦法，就是聖經給我們的辦法。以耶穌基督的心爲心。耶穌基督的心是怎樣的呢？耶穌基督的心是謙卑的，祂是宇宙的創造者，祂把自己降卑成爲人的樣子，甚至成爲最低、最卑微的人，爲人的不完美死在十字架上。

我們要有一致的教養孩子的辦法嗎？我們作父母親的就要謙卑，一起的學習，讓上帝的話成爲我們的引導。聖經所教導的是全面性的，當我們讀聖經的時候，就會學到做人的功課。當你讀上帝給你的手冊的時候，不要跟祂辯論，你不要說太難啦，我不喜歡。聖經是你人生的手冊，裡面所講的都是要我們去做的，不是只給我們做參考。如果你們兩個人都照著聖經所說的去做，當然你們的教養就是一致的了。

●父母親看法不同、做法不同，會帶給孩子怎麼樣的影響呢？怎麼樣做才好呢？

父母親做法不同，當然教導孩子就很困難了。如果你有了上帝的手冊（聖經），就會很有把握的解釋給孩子聽。你告訴孩子，人都有錯，只有一位是完全沒有錯的，我們一起來學習上帝的話。若是父親或母親做錯的話，孩子有聖經做標準，他們不需要學人，他們可以學上帝。

●我和我的先生結婚十年，好像一直沒有什麼共同的認同感，常會因爲不同的理念而有小小的爭吵。可能是我一直認爲他什麼都不懂。請問蘇博士，我是不是能用妳所說的發掘孩子的天份的方法，來發掘我的先生，進而鼓勵他。或許這樣會直接拉近我們的距離？妳認爲如何？

我想妳可以試試看。但是，不要把他當做小孩子，他已經是成人了。可能是妳自己認爲他什麼都不會，所以他就覺得妳不尊重他。第一、回到聖經給我們的第一個原則。他是照著上帝的形象被造的，妳要尊重他。上帝在創造他的過程中尊重他，照著自己的形象造他，以榮耀爲冠冕給他，所以妳也要同樣的尊重他。第二、妳鼓勵他，他做對的時候妳鼓勵他。我相信如果妳不再批評他，不再小看他，不再把他當做什麼都不會，不要跟他吵，妳只有鼓勵、欣賞他，這樣子一定會把妳們的距離拉近。

●如果丈夫的意見和妻子的不一致，怎麼樣處理教導子女方面的問題？

我們現在已經知道，「意見」不應是我的意見、他的意見，而只要是上帝的意見。讓我們聽從上帝的意見，如果對方不肯聽從，那妳也知道只要妳聽從上帝的意見，一定是對了。妳要向孩子解釋，人都有錯，只有創造者沒有錯。你用上帝的話教導安慰孩子。如果丈夫不從真理，你幫助兒女尊重爸爸，但跟從真理。

●我和丈夫的教育子女態度有很大的差別，他對女兒很嚴厲，也有很多的批評和不滿，女兒非常怕他。我嘗試跟女兒溝通，他就指責我做得不好，說我教女兒反叛。我該如何與丈夫溝通呢？他並不接受任何的講座和書本，怎麼辦？

我想這個丈夫是非常驕傲的一個人。哪裡會有一個人不接受任何的講座或是書本？他可能以爲他所做的都是最好的，其實剛好相反。他是一個自卑感很重的人，他不敢面對其他的意見，因爲他害怕發現他是錯的，所以他是一個很可憐的人。

在這種情況之下，妳要向女兒解釋，「爸爸已經長大了，我不能好像教妳一樣去教他。就好像樹已經長大了，它歪了就不容易改正。但是，妳知道什麼是對、什麼是錯，妳就應該往對的方向走。如果爸爸的教法跟聖經不同，妳就不需要聽從，爸爸的教法跟聖經一樣，妳就應該聽從。但是，千萬不要跟爸爸辯論，妳要尊重他、孝敬他。妳已經長大了，也懂得分辨了，妳就選擇對的來遵從。媽媽會盡量跟妳溝通，妳心裡有什麼話，可以跟我講，然後我們一起來查看聖經的教導，一起禱告求耶穌幫助。」妳如果這樣子跟孩子溝通的話，孩子就知道有人了解她，有人欣賞他，有人鼓勵他。妳跟她的關係當然也會拉近，妳的教法當然必須要是照著聖經，那就不會錯了。

●父母親之間教育孩子的觀念不同，怎麼辦？媽媽說，我們要溝通，跟孩子談話；但爸爸說，人性本惡，應該要以打罵的教育才可以。

同樣的原則，不是跟從爸爸或是跟從媽媽，而是要跟從上帝。上帝的話怎麼說呢？人本來就是以自我爲中心，但是人也是有尊嚴的。自我中心該怎麼樣處理呢？請耶穌基督管理他的生命，讓耶穌基督的愛來充滿。然後讓他們有一個目標，向上帝的善和上帝給他們的本份來負責任。同樣的，四個步驟，聖經給我們的大綱：創造的事實、罪惡的事實、救贖的真理和審判的真理這四方面。如果我們可以照著這樣做的話，孩子就可以得到幫助了。與孩子溝通是尊重孩子，要了解他，才能幫助他。以打罵來教育很可能是家長自作主張，以自己爲標準。請參考上一題的回答。

●我的丈夫用很多時間在他的事業上，怎麼樣叫他分擔教養兒女的責任呢？

如果他不肯的話，妳就沒有什麼辦法了。妳可以自己擔起這個責任，避免孩子受到傷害。如果他肯的話，妳可以把我們講的這些給他聽，讓他看我們的書，讓他了解作爸爸的責任。上帝尊重人，只有當人邀請耶穌來管理他，作他的老板的時候，上帝就開始在他身上做修理的工作。要是人不肯求耶穌作他的主宰，耶穌不會勉強。但是，人自作主張的結果只有害了自己，只有不理想，也因此只有死亡。兒女一天天長大，妳不能等，在丈夫還不了解之前，妳自己以真理教養兒女，才不致虧欠兒女，害了兒女。

●夫妻的信仰不同，管家的理念不同。先生常以負面、譏笑等方式來對待孩子，反映著他小時候也是這樣長大的。女兒常常怕別人笑，作母親的我應該怎麼樣處理善後呢？

可能因爲他不認識真理，他不知道怎麼辦，他的理念只是反映他的成長過程而已。有人以爲要笑笑孩子，常常刺激他，他才有成就。聖經並沒有這樣告訴我們。聖經要求我們，照著上帝造他們的尊嚴來對待他們。妳的孩子怕人家笑，妳作媽媽的怎麼辦呢？妳回頭可以把我們所講的講給妳的孩子聽，讓她知道她是有尊嚴、有價值的。讓她有一個健康的自我形象，讓她用上帝的眼光看待自己。

●先生還沒有信主，怎麼樣才可以一起進步呢？

他還沒有信主，沒有關係，可以邀請他與妳一起讀聖經。妳可以告訴他，「沒有辦法可以勉強一個人信耶穌，要一個人自願才可以信耶穌。我信了耶穌，可以從耶穌那裡得到力量，我在學習作一個更好的媽媽。我發現上帝給我們的手冊 — 這本全世界銷路最好的書 — 《聖經》，從來沒有人找到有任何錯誤，是科學事實所支持的，是考古學所支持的，是歷史所支持的，它所有預言都百份之百應驗。這本手冊太寶貴了，我在學習，你跟我一起學習，好嗎？」

如果他肯，妳們每一天就一起讀聖經。如果他不肯，妳自己讀，妳自己進步，補上他沒有的那一方面。不要因爲一個人不信，不要因爲一個人不聽，妳就犧牲妳的孩子。妳孩子長大的時間很短，一下子就過去，可能孩子長大之後，丈夫才信主。有一個家庭，孩子長大了以後，丈夫才信主。幸虧這位媽媽沒有因爲丈夫當時不信主，就沒有帶孩子讀聖經、去教會；反而還站穩自己的立場，帶孩子去作禮拜，帶孩子上主日學，帶孩子信耶穌，與她自己一起進步。終於有一天丈夫也信了，回頭一看，感謝主，她的孩子都在耶穌基督裡面。這是我們可以學的榜樣。

●丈夫不信主，妻子在家中怎樣才能同心同力，按照聖經的眞理、上帝的話去教養孩子呢？

按照聖經的話，就是讀聖經，聖經所講的每一樣，妳都照著做。不要因爲家裡有人不照著聖經真理，妳就讓孩子受到虧損。妳可以從耶穌那裡得到更大的力量，因爲聖經應許我們，妳求就給妳；妳應當求更大的能力、更多的智慧來教養妳的孩子。

「你們雖然不好，尚且知道拿好東西給兒女，何況你們在天上的父，豈不更把好東西給求他的人麼？」（馬太福音七章）

「你們中間若有缺少智慧的，應當求那厚賜與衆人，也不斥責人的上帝，主就必賜給他。」（雅各書一章）

●先生受電視控制，嚴重佔據夫妻及親子時間。怎樣突破呢？

最容易的辦法，就是家裡不要有電視了！記得有一次我們在新加坡講座中的問題解答，其中有問及電視的問題。我當時建議說，如果我們不能控制電視，而被電視來控制我們的話，最好就把電視機送給人家啦！我們再次去新加坡的時候，又收到另外一張字條：謝謝妳！我們家裡的「獨眼龍」已經不見了。這是可以實行的，如果電視控制妳們的家，就把電視送給人家，當然你要先跟家人商量一下。電視是我們控制的，不是讓它來控制我們。如果我們沒有辦法控制電視的話，就把電視請走。

我猜問題並不是這麼簡單，也許只是借題發揮，就像有一些人說的借酒行兇。其實，這位先生可能不願意跟他的家人來往，才整天看電視。這個不願意溝通的問題是比看電視更大。妳可以做的，只有照著聖經所講的。彼得前書第三章提到，若有不聽道的丈夫，也可以因爲妻子的品行被感化過來，她的貞潔的品行和敬畏的心，長久安靜和溫柔的心。妳做妳的那一份，其他的就交給上帝。妳不要因爲丈夫整天看電視，也就讓孩子整天看電視；不要因爲丈夫不跟孩子溝通，妳也不跟孩子溝通。妳不要受影響，妳要影響孩子們往正的方面去。

●丈夫的工作時間很長，常因睡眠不足而影響情緒。他是不是應該減少或調整工作量，或者我應該怎麼樣去配合他呢？

當然整天都在工作的話，就會有很多事情做不來。他的情緒自然就會比較緊張，因爲他應付不了要完成的事情。我不清楚妳們的家庭情況，或許妳可以跟丈夫商量一下，工作量是否一定要這麼多。如果自己能夠調整的話，當然是可以減少工作量，只要衣食住行可以應付就夠了。不需要大的房子或新的車子，也不需要買貴的衣服，只要可以生活就足夠了。生活的素質，不是在物質方面，更重要的是在人際方面。如果擁有良好的人際關係，生活便會更加的快樂充實了。

妳可以怎樣的配合呢？與他商量，到底是他不想回家，還是工作很多；或者，他想建立起事業而負起更多的工作，還是有其他的原因。妳們可以彼此商量，好好的談，不要一味的覺得他就是喜歡那麼多的工作。可能他並不喜歡太多工作，所以妳應當配合，聆聽他的心聲，了解他心裡真正的感受。妳可以協助的地方就盡量幫忙，讓他的情緒不要太緊張。

●孩子有的時候會問：「我是媽媽生的，和爸爸沒有關係，爲什麼要爸爸呢？」這是一個五歲的小孩發的問題。請問他爲什麼會這樣問呢？

可能是因爲之前講錯了。從很小的時候，妳就告訴他，你是媽媽生的，不是爸爸生的，所以定義要搞清楚。我們必須教導孩子，你是爸爸和媽媽的孩子，是爸爸和媽媽生的。如果孩子還有疑問，就應該更清楚的向他解釋。從第一個細胞開始的時候，你有一半是爸爸的，也有一半是媽媽的，只是你在媽媽的子宮裡成長。妳解釋給他聽，他就明白成長的過程是跟爸爸有著很大的關係。他也明白上帝在造人的時候，讓我們有爸爸、媽媽，這樣父母親可以分工合作，對孩子、家庭都很方便。因此，跟孩子講話時要照著真理向他解釋清楚。

●我的老公喜歡搖腳，現在連兒子也跟著搖。我勸他要改掉，他卻說爸爸也是這樣。該如何糾正他呢？

我猜想這個問問題的人是認爲，爸爸已經改不了搖腳的習慣了。

讓我們先看看，搖腳本身是不是違反真理？聖經有沒有說不可以搖腳呢？當然沒有啦！對於這件事情，不必那麼緊張，這不是不可以做的。可能是妳覺得很討厭，覺得搖腳不雅觀，但這不一定是不可以做的事情。妳可以向孩子解釋，如果以後變成習慣那就改不掉了，而且很不雅觀；或者妳有其他理由，可能搖腳會把別人的注意力分散。幫助孩子做一個選擇，他不一定要學習大人所有的習慣，應該選擇跟從真理。

我們要把真理和非真理的事情分開。與真理無關的事情，不需要太固執，當然小孩子會模仿父母親，這就是爲什麼我們需要談論教養兒女的問題。孩子總會模仿，他很容易學習我們所做的事情。如果我們有不好的習慣，他也很容易的學會。希望各位父母親先把聖經的真理和非真理分開。如果是聖經的真理，是創造者所講的話，我們就要告訴孩子，那一定不可違反了；若非真理而是人的意見，我們可以跟孩子解釋，跟孩子商量，但不能執著。

●若先生的觀念不正確，又不願意學習怎樣教養孩子，我是不是應該順服他呢？

如果先生的觀念不正確，而又不願意學習，我們就要先搞清楚這個所謂的不正確是誰的定義。

如果是妳自己的定義，那就不一定是真理了；但若是上帝的定義，就是真理了。例如上帝吩咐我們要彼此尊重，因爲祂造人的時候是照著自己的形象造人。如果先生認爲不需要尊重孩子，那麼他的觀念就不正確了，因爲是違反真理。又如聖經說，不可以姦淫，所有的淫亂、淫念、姦淫的思想都是不對的。如果先生喜歡看淫亂的東西，我們便可以說那是不正確了，因爲那是與創造者所說的相反。

如果先生不是這方面的問題，而是他認爲孩子讀書的時候，應該在一個安靜的地方溫習，不應該在有音樂的地方；這個聖經倒是沒有提到。我們處理的辦法就是按照個人的習慣了，孩子讀書是安靜比較好，還是需要有一些音樂才讀得更專心呢？這就不是正確與不正確之間的事了。

我們要先分辨，所謂的「不正確」是上帝的真理或是人的意思。如果是違反創造者的真理，那妳就不應該順服。有一些人讀聖經有一個錯誤的觀念，他們以爲聖經說，「你們作妻子的要順服自己的丈夫」就等於是所有的事情都要順服。聖經說的並不是這個意思，它有一個大前題，就是在基督裡；「你們要存著敬畏基督的心彼此順服」。夫妻之間是彼此順服，不是單要妻子順服丈夫。而彼此順服是有一個大前題，就是敬畏基督。我們行事都要在耶穌基督的範圍裡面。

我舉一個例子，你要把你的屋子油漆得更漂亮。這是不是一件對的事情呢？聖經告訴我們要治理這地，所以我們就要好好的治理它，甚至小小的環境也要治理。居住的地方要乾淨，讓它看起來更漂亮，這是沒有錯的。至於要油什麼顏色的漆，是要白的、粉紅的、粉藍的，可能意見就不同了。聖經只告訴我們要照顧環境，但是並沒有告訴我們要漆上什麼顏色。當意見不同的時候，我們就要採取愛的態度了。如果丈夫喜歡粉紅色，我就順服他，這是愛的表現；若是妻子喜歡白色，這也沒關係，我就順服她，因爲我愛她。我愛她，所以照著她喜歡的來做，這就是在耶穌基督的範圍裡彼此順服了。

若丈夫所講的是違反真理，作妻子的就不可以跟從，因爲每一個人都要自己負責。上帝不容許我們說：「我不曉得啊！祢告訴我順服丈夫我就順服他啦，他錯是他的責任，我沒有責任。」上帝並不容許我們這樣說，每一個人都要自己向上帝負責。如果丈夫告訴妳說，弱肉強食嘛，我們要孩子讀書讀得好，那他就不可以幫助其他的同學，這樣他就有更多時間溫習功課；同學不懂那就更好了，孩子就可以得高分。妳的丈夫若是這樣告訴妳，就是違反上帝的真理了，因爲聖經告訴我們，神給一切的恩賜是要我們作一個好管家。怎樣作好的管家呢？就是要服事人。我們要幫助孩子曉得如何分配時間，那麼他就可以幫助其他同學，這才是正確的教導。丈夫說不需要幫助其他同學，那麼妳就知道這不是在耶穌基督的範圍之中了。妳可以溫柔的向他解釋聖經的真理，不需要完全的順服他了。如果丈夫還是強迫妳，不讓孩子跟其他同學講話，也不可以幫助其他同學，還很兇的話，妳可以避免被傷害。當妳已經知道什麼是對、什麼是錯，在沒有被丈夫傷害的情況之下，你要解釋給孩子聽，幫助孩子做對的決定。這是順服丈夫的一個重要原則。任何一個人，要人家順服他，他就是把自己當做上帝，取代上帝的地位，這是天大的罪，也是魔鬼所做的。因此魔鬼也這樣誘惑人：「你們便如上帝。」（創世記三章）

●全職工作的媽媽怎麼樣來分配她們的時間？

●讀完書以後再生孩子，還是一邊生孩子、一邊讀書？

●妳現在到處去，怎麼樣可以跟孩子在一起呢？

我知道我自己的有限，所以只在一個時段做一件事情。我是先讀完書，然後才結婚，當然結婚之後過一會兒再有孩子。你應當先知道你的力量有多少，才決定做多少事。

孩子小的時候，我把我所有的時間都給他們，沒有到處跑。時間的計劃是非常重要的，因爲給每一個人都是公平的，每天只能有二十四小時；你做了這一件事，就不能做另一樣；你在這裡，就不能在那裡了。可能的話，我們把生命分成一小段、一小段的。孩子很小的時候，我們盡量多一點時間跟他們在一起；大一點的時候，他們上學了，你可以部份時間在外，因爲他們不在家的時間，你也可以不在家。總之，你不要讓自己太忙。孩子長大之後，他們自立了，不必要你時時在旁，那個時候你就可以做其他事情了。

如果因爲不夠溫飽而必須父母都在外工作，則只好盡可能不同時間上下班，盡量有父或母與孩子同在，盡量簡化生活，每天給孩子個輕鬆愉快又能幫助他的媽媽，而不是個緊張煩惱的媽媽。

●我是讀電腦的，如果現在停下來照顧孩子的話，是不是就沒機會回去工作的崗位？

對於這類的問題，我是不能替你做決定的。

我建議，妳可以去跟上帝講。如果妳的創造者告訴妳，現在最重要的是妳的孩子，將來妳回不回去從事電腦業也不是什麼大問題，因爲那時祂會爲妳安排適當的工作；而且妳也不是生來就懂得電腦的，妳以前可以學，以後也可以學，所以這並不是重要的問題。

在時間上的取捨，事奉和子女應該是在一起的。我們事奉創造者，所以我們照顧孩子也是在事奉祂。我們帶孩子到教會是在事奉上帝，與他們一起讀聖經、禱告同樣也是在事奉上帝。妳應當可以整體的去做，不需要放下孩子做一些教會的工作，或是放下教會的工作去照顧孩子。

●在以物質爲重的社會裡，父母親因爲錢而忙碌。請問在這個必須要去找錢的情況下，怎麼樣培育優秀的下一代？

●如果經濟能力不夠維持生活，太太應不應該上班去？

每一個家庭的經濟情況不同，有些家庭真是需要兩個人的收入來維持；無論如何，原則上應該是盡量給孩子時間。

如果兩個人都需要出外工作的話，想想看有什麼方法可以輪流出外，比如一個早一點上班，另一個則遲一點；或是其中一個盡量只做部份時間的工作。如果經濟許可，衣食住行方面又可以應付得了，在孩子小的時候，比較適合與孩子在一起的那一位，爸爸或是媽媽，應該多花一點時間在孩子身上。

太太應否上班去？太太要做決定，不能勉強。

將你的情況告訴你的創造者，祂會告訴你怎麼樣去做，你就照著去做。原則上，家是最重要的，因爲，人在上帝創造之中是最重要的，祂爲著人創造宇宙一切。而在人際關係之中，夫妻的關係是最重要的關係，父母、兒女的關係是第二重要的關係。如果你照著創造者所看重的去行，你就知道怎麼樣來分配時間。請不要爲錢而忙碌，應爲你的家而忙碌。賺錢是爲了家的需要，因此，不要因賺錢而傷家。在孩子小，需要你的時間，生活盡量簡樸，有食有穿就知足了。

●上帝的話既然說人要離開父母，男人要離開父母，是不是女人也一樣呢？女性出外建立事業會不會變成一個可能的衝突呢？

離開父母就是獨立，所以有人以爲女性一有事業，她就可以獨立了。這樣解釋的話，不一定是聖經的意思。聖經的意思是二人成爲一體，無論是那一個人的事業都成爲兩個人的事業；無論錢是從那一個人的手拿回家，都是兩個人的錢。不必爲了爭取各自的獨立，以致兩個人都要在外面工作，而犧牲了孩子！

夫妻的關係是人際的第一個關係，夫妻應彼此尊重、彼此了解、互相配搭、互相鼓勵。女性的事業與男性的事業一樣，都是爲了愛家。在尊重、了解、配搭、鼓勵的情況下不應是有衝突的。

●我和我爸爸很難順利的溝通，雖然他很難更改，但我卻願意改變。我要怎麼樣做呢？

你要照著聖經來改變自己！成爲一個溫柔、敬畏的人，有長久的溫柔、安靜的心，有聖潔的品行，尊重你父親，孝敬你的爸爸，表達你的愛，照著愛的真理來表達，這一些你都要學習。先從自己改變，你就會發現你爸爸會比較容易與你溝通。與爸爸講話的時候，有沒有禮貌？是不是溫柔的？聆聽爸爸，了解他，設身處地爲他著想，在學習上忠心，有信用，分擔家務，從這些方面做起，願上帝祝福你。

●聽了妳的講座之後，感受到很多父母親其實只聽喜歡聽的那一部份，只做覺得好的那一部份，沒有全部照著做。如果孩子提出來，父母親可能還會罵他們。怎麼辦？

我只能盡我的本份，把真理告訴他們：我只可以把我所知道的聖經的話告訴你，你要爲你自己來做選擇。你要聽從這本手冊裡所有的話嗎？聖經上所有的應許都是你的。你要選一些來做嗎？那是你自己的事情了！就如開車，你只加了汽油而沒有加水嗎？或是隨意把汽油放在任何地方嗎？你要聽多少？你要接受多少？你要跟從多少？是你自己的責任，是你自己的決定。你若全部聽從，上帝所有的應許都是你的。你全部聽從，作一個謙卑、順服天父的孩子，祂也會給你足夠的智慧，讓你來幫助你的兒女們。如果自作主張，那也只好自己承擔後果。如果你是孩子，你把真理提出來提醒父母，而父母罵你，你一方面赦免他們，另一方面提醒自己照著真理而行。你會成爲一個更好的父母。

●我很想我的妻子留在家裡照顧小孩，而且經濟情況沒有困難。我的妻子總是強調，她是現代的女性，不能和時代脫節，只叫菲傭來代替她在家中的工作和看孩子。我很煩惱！

●丈夫如果賺得夠錢，妻子是不是可以很放心去用丈夫賺來的錢？

這兩個問題都是要抓住聖經的真理，就是「二人成爲一體」。二人如果成爲一體，怎麼還有丈夫賺的錢、妻子賺的錢呢？當然沒有了！如果在孩子小的時候，丈夫賺的錢又夠家裡用，妳可以安心去用，專心來照顧妳的家。如果妳給其他的人來照顧妳的孩子，妳就是把孩子送給人家影響了，妳自己卻放棄影響孩子的責任和福氣。瑪拉基書告訴我們，上帝所要的是我們有敬虔的後代；神有靈的餘力可以造很多人，但是祂只單造一個人，乃是祂願意人得到虔誠的後裔。

這兩個問題都可以用聖經的話來回答，二人成爲一體，不要分誰的錢，然後在這段時間裡面，如果上帝告訴妳，妳最重要的事是把妳的孩子養成虔誠的後裔，妳就盡量照樣做吧！至於是否會與時代脫節，那就要看你了。你可以繼續自修或上課，讀各種文獻。如果除了孩子之外，家務仍有傭人負責，那你就有了最理想的安排，一面可以影響孩子，一面有時間求上進。不過，決定是妻子的，她如果不願意看顧孩子，在家也沒用，只生埋怨。

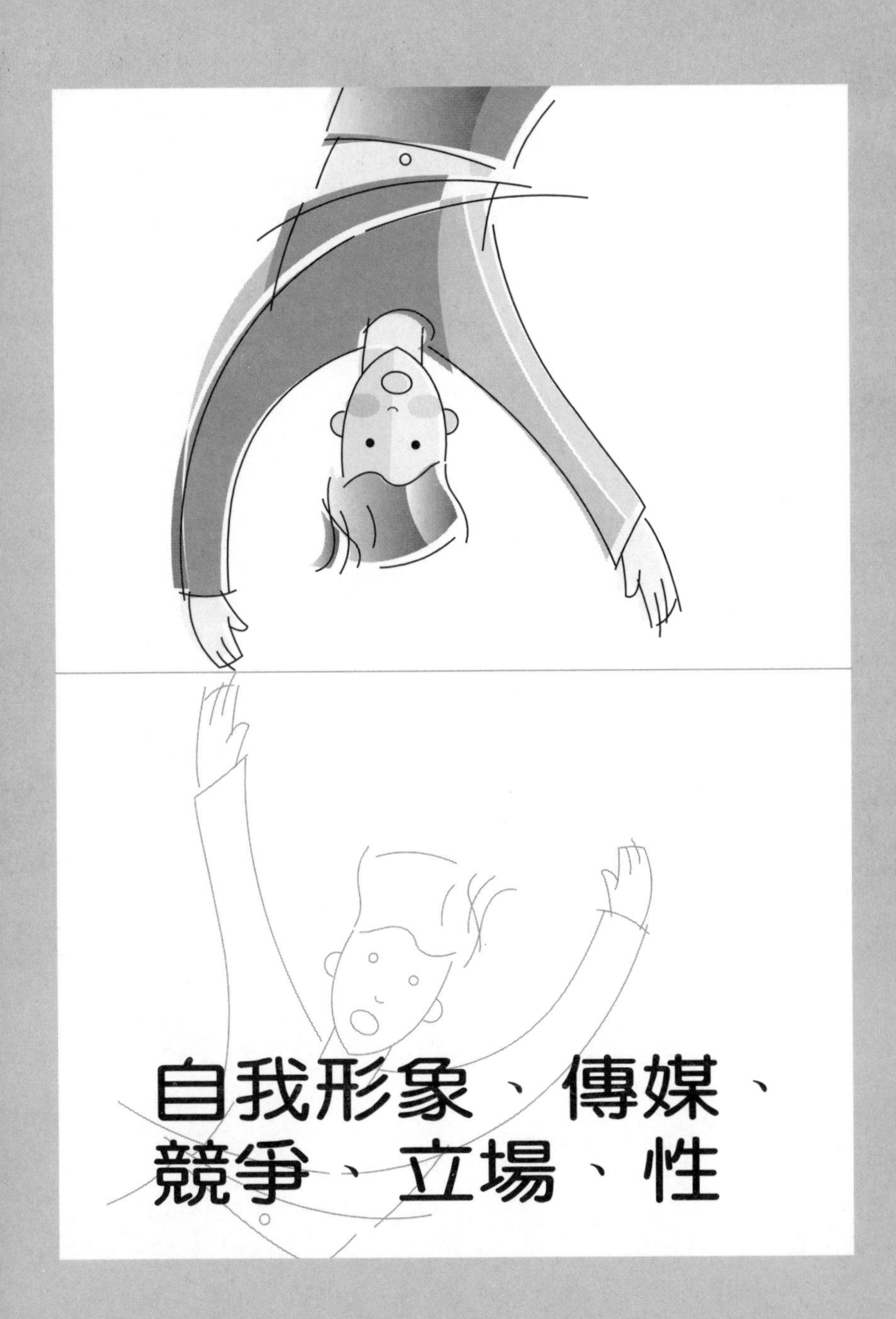

自我形象、傳媒、競爭、立場、性

●如何肯定自己、接納自己，讓自己有良好的自我形象？

要肯定自己、接納自己的唯一辦法，就是回到你的創造者。祂已接納你、祂已肯定你，祂已給你價值，祂已給你尊嚴。當我們用創造者的眼光來看自己的話，當然你就會接納自己了。比如我們的外貌，當我們想到我的外貌是我的創造者所造的，如果我不喜歡我的外貌，我是在無意中指責創造者：「祢不知道怎樣造我，祢把我造得這麼難看！」事實上，是誰比較聰明？我可以造一個更好看的人嗎？我有沒有那個智慧呢？既然我們了解我們的智慧是不夠的，唯有創造者知道如何造出最好的，所以我們就學會自己接納自己的外貌。

父母親怎樣幫助孩子呢？父母親也要肯定他被造時的價值。我們的不同天份也是創造者給我們的，要接納祂給我們的。祂的智慧比我高，祂造的我一定是對我最好的，是不是？良好的自我形象就是從創造者的眼光來看自己。耶穌基督來到世界的時候，祂愛你愛到一個程度，爲你而死在十字架上。當我們想到這種愛的時候，你就必定會說：「哇！這是非常偉大的愛，超過其他我們所知道的愛。」愛到一個程度，爲你而死，你想這愛是多大的愛。當我們知道耶穌基督愛我們，我們就會接納自己，別人如何看我們並不重要了，因爲我們知道怎麼樣接納自己。

●怎麼樣幫助孩子認同自己、認同父母親？

你的孩子是華人，爲什麼他是華人？因爲他的父母親都是華人，所以他們生來像華人。當他知道「我的樣子是華人，因爲我的父母親是華人」。他們的祖父祖母也是華人，這樣一直推的時候，就推到我們華人的祖宗，當然他們也是天父所造的，也是宇宙的創造者所造的。

當我們接納創造者比我們聰明的時候，就會認同自己；認同我自己，就會認同父母親和祖宗。這是唯一的辦法，其他的辦法都是代替品，沒有真正的事實做它的背景。現在有一些教法是:「你要覺得自己是很驕傲，你要覺得你是華人、是炎黃子孫而驕傲。」這種方法是沒有底，空空洞洞的，我們要的是事實！事實上，我們確實有一位比我們聰明得多的設計者，根據這個事實而得到的辦法才是真正的辦法，因爲上帝看重你，所以你要看重自己。

●怎麼樣幫助我的孩子在傳媒界的各種影響之中，有一個良好的自我形象？怎麼樣來幫助我們的孩子分別眞英雄和其他的一些名流？

他的意思是說，今天在社會、媒介上有很多很有名的人，但是在他的眼中不一定都是英雄。他希望他的孩子學習的對象是那些真正的英雄，而不是這些現代出名的人而已。傳媒界給我們不同的印像，有一些人實在是不可以被稱爲英雄，或許他們的道德是非常差，但是傳媒界卻把他宣傳得很好。

我們怎麼樣幫助孩子來處理這些傳媒呢？你和孩子要有共同的傳媒。從孩子小的時候開始，他看的電視你也看，他看的報紙你也看，他看的雜誌你也看，你們才有話題溝通。如果有共同的話題，那麼在談論的時候，你就可以幫助你的孩子從聖經的眼光來看這些有名的人。上帝怎樣看他們呢？「上帝看人不是看外貌，而是看內心」。我們要看的也是這些人的內心，他和他的創造者的關係如何，他是不是遵守創造者的誡命？如果不是的話，他在創造者的眼光之中是不成功的，可能還是根本不及格，我們可以跟孩子談論這些事情。

聖經裡頭有很多的例子可以幫助我們。當你讀聖經時，讀到某一個國王的記載的時候，你可以跟孩子討論說，這是不是一位成功的國王呢？成功的標準是什麼？成功的標準是在上帝的眼中他是怎麼樣的人。當我們常常幫助孩子從上帝的眼光來看人的時候，他也懂得怎麼樣來處理傳媒。

●家中的老大個性像老么，比較不成熟，也不太懂得讓步。怎麼樣幫助他做弟妹的榜樣，並得到弟妹的尊重？

什麼叫做老大的個性？什麼叫做老么的個性？一般人的誤會，可能要求老大要比較獨立，比較會讓東西給人家，比較成熟，做一個帶頭的人。聖經卻沒有這樣的說法。無論他生來是老大或是老么或是排行中間的，他都是一個個別的人，不應該以他生來的秩序，給他加上一個不同的形象要求。

我們不要只關注，「老大個性像老么，不成熟又不太懂得讓步」；我們應當問的是，「怎麼樣幫我的孩子成爲一個成熟的人？」不論是弟弟、妹妹，也都是同樣的問題。怎麼樣得到弟弟、妹妹的尊重呢？不是單單的得到弟弟、妹妹的尊重，更重要的是在上帝眼中看爲是好的。如果我們所做的，在上帝眼中看爲是好的，弟妹、家裡的人都會尊重我們，外面的人、身旁的人、朋友也會尊重我們。萬一他們不尊重我們也不要緊，因爲只要上帝說好就夠了。

怎麼樣幫助我的孩子成爲一個成熟的人，可以讓步？你要先了解他的個性，他被造的時候是怎麼樣？可能他的個性，照你看來是比較不成熟，你就要問自己，爲什麼他會不成熟？是因爲我把他造成的或是其他的原因。可能由於他是老大，你要求的比較高；或者在弟妹出生以前你替他做太多的事情，沒有放手給他做；也可能你要求他做一個所謂老大的樣子，給弟妹做榜樣，他就反過來，不願意承擔那壓力，要和弟妹一樣。比如家裡有個小嬰兒，爸爸、媽媽都在抱他，沒有叫他做事情，客人來的時候都是很高興看著他、對著他笑，注意力都放在小嬰兒身上。這位三、四歲的老大就會覺得人家好像都忽略了他，他以爲只要回去作一個小嬰兒，人家又會再注意他了。他會以行動表現得像一個小嬰兒，爸爸、媽媽就以爲他不成熟了。我們要研究他的原因，知道之後才可以處理這件事情。

要得到弟妹的尊重，我們要教弟弟、妹妹尊重每一個個人；尊重他就是尊重造他的創造者，不是因爲他有什麼值得你尊重，而是因爲他是創造者照著自己形象所造的。當然哥哥也尊重弟妹，姐姐也尊重弟妹。我們作父母親要教他們彼此尊重、讓步。讓步也是尊重的一部份，比如我們吃東西的時候要彼此推讓，不要一個人把全部食物吃完。我們要教孩子每次吃東西的時候要問問其他在場的人，要不要吃？先給其他的人有一個選擇，然後自己再吃。不是只要求老大這樣做，弟弟、妹妹也一樣，都要有禮貌、尊重其他的人。比如玩具，不一定是老大就要讓給弟妹，而是要彼此推讓。你要幫助他們，怎麼樣一起交談，找一個合適的方法一起玩。

●聖經有沒有講到競爭的問題？怎麼樣教自己的孩子面對人生中的競爭？

聖經中當然有很多競爭的問題。你打開創世記第四章，你就看見哥哥和弟弟競爭的問題，競爭的結果就是哥哥把弟弟打死了。這對不對？當然不對。社會上有很多競爭的現象，對不對呢？事實上是不對的。上帝給我們的並不是競爭，而是彼此幫助。你說，社會上都是競爭！對的，社會並沒有聽從上帝的話，今天的社會都是人在自做主張、自我中心。當每一個人都是自我中心的時候，當然他就只想到「我」了！特別是我們現在學校的教育，常常教導的就是適者生存、弱肉強食的觀念。

我們應該做的：聖經彼得前書四章 10 節所講的，我們從上帝得到的百般恩賜，是要我們作這些恩賜的好管家。怎麼樣作一個好管家呢？我們要服事人。當我們服事人的時候，我們就在做我們天份的好管家了。希望你幫助你的孩子，不需要跟人家競爭，他所要做的是盡自己的本份，作良善、忠心的人。要做上帝認爲良善的，照上帝良善的標準；也要作一個負責任的人。你說，會不會輸給別人呢？不怕輸，因爲上帝會給我們一切所需要的，祂是公平的，祂是公義的上帝。聖經說，只要先求祂的國和祂的義，我們所需要的這一切，祂都會給我們的。我們不需要跟人家競爭，上帝會賜給我們足夠的。「上帝所賜的福，使人富足並不加上憂慮。」（箴言十章）

●怎麼樣幫助在自我形象上受傷的孩子？如果是母親或父親的影響，要怎麼樣協助他走出自我形象的陰影？

●怎麼樣提升外形不佳、太胖的小孩的自我形象？怎麼樣改善自我形象？

這些都是同一類的問題。因著父母親對孩子的影響，讓孩子自己的形象受傷，沒有健康的自我形象。如果父母親還健在，還肯幫助孩子，父母親可以跟他說：「對不起！以前我們不懂得，以為我們這樣做是在鼓勵你，原來卻是在傷害你的自我形象，原來是有一位創造者，你被造是奇妙的，原來你是有價值的人；我們要做的是，發現你從天所得到的才能，然後盡量去發揮，用在服事人的事上。」

如果你是這一位自我形象被傷害的孩子，你要用上帝的眼光來看你自己：雖然我的父母親以為我不在意有怎麼樣的自我形象，雖然我的父母親曾經影響我，讓我的形象受傷，但是我現在懂了，我已經大了，不需要繼續來承擔父母親加給我的那一份傷痛；我可以走出自我形象的陰影，我可以從上帝的眼光來看我自己。當我從上帝的眼光看我自己，提醒自己，人所看到的可能是錯誤，爸爸媽媽可能是好意，但是他們並沒有建立我健康的自我形象，但是現在我已經大了，為什麼我還要繼續的受他們的影響呢？不必要！我有更好可以影響我的，就是我的創造者，祂從來不會錯的。每天你要提醒自己：「天父祢看我怎麼樣？如果祢說好就夠了，人看我就不重要了。」

如果你每天這樣的提醒自己，就會成為一個習慣，我所要求自己的就是要求我照著創造者所講的來做，祂告訴我怎麼做，我就怎麼做。當你讀聖經的時候，你會發現祂給你不同的才幹，讓你可以發揮。太胖本身不應該是會影響你的自我形象，但是可能會影響你的健康。應該為著你的健康來著想，你的胖是因為有病呢？或是吃太多，也沒有運動？我們要研究胖的原因，不是因為你的胖不好，而是因為你的胖會影響你的健康。不要因為太胖，所以你覺得不好看，影響到你的自我形象，而是應該關注、處理你的健康。我們可以建議他應該去檢查一下，看看是不是有病？有時候有一些的病會讓一個人一直胖起來。如果你健康正常，我們應該解決的是，是不是你吃太多東西沒有節制，或是整天沒動？

我記得幾年前的一篇新聞很好笑，有一個很胖的人在家裡摔了一跤，結果就起不來了，因爲自己挾在門的中間。你想，門很寬沒有理由把一個人挾住。讀下去的時候，才知道原來他有一千多磅。文中也提到他每天早上吃多少雞蛋、多少的餅、多少豬肉、多少牛肉、多少香腸。哇！當你看看他吃的東西的時候，你會嚇壞了，難怪他那麼胖！他家裡的人很愛他，他要什麼就給他吃什麼。這一種是不是真的愛呢？不是！結果那一次他需要消防車去把他救出來，然後送他到醫院，還要從醫院的窗口把他吊上去。如果一個人胖到這個程度，你又發現是因爲吃太多的話，我們當然是減少他吃的份量，才是愛他的表現。這個很胖的人其實很年輕，但是如果繼續這樣下去，他的身體就不會很健康了，他的心臟可能承擔不了這麼大的重量，可能健康就會有毛病了。

爲著你的健康而減胖，你可能需要醫生的幫助，讓你減得比較有效率，也可能需要有人陪伴你去做運動。這樣，有人幫助的話，做起來一定就有效率了。你不需要因爲人家如何看你而看自己，你要的卻是保護你自己的身體，因爲我們的身體是聖靈所住的殿，所以我們要照顧。聖經告訴我們，我們要治理這地，我們要保護我們的環境，不要把它弄壞，你的身體當然也是環境的一部份，所以要照顧你的身體。

如果你對自己的看法很低，怎麼樣改善呢？你回去看聖經，用上帝的方法來看你自己。聖經怎麼樣講呢？這位創造者是照著自己的形象、自己的榮耀、自己的內涵來造你，祂照自己的形象、自己的樣式來造你，所以你本身就已經有了上帝給你的尊嚴和價值。將來祂審判的時候祂會問你：「給你這麼多年的時間，你做了什麼？」我們有永恆的價值，所以當用創造者的眼光來看自己，就知道怎麼樣去選擇那些有永恆價值的事情。

●怎麼樣讓孩子了解他是獨一、特別的呢？兒女之間是不是存在著競爭？雖然他們沒有講出來，是不是也在互相競爭中？作父母的怎麼樣以平等和尊重的態度來教導孩子？

這三個問題，我就一起回答。怎麼樣讓孩子了解他是獨一、特別的？你要常常講嘛！你說，你是世界上唯一的你，就像你只有一個媽媽，世界上也只有一個你。我們有唯一的創造者，祂造的時候，每一個人都是特別的。你常常講，加上你對他的態度；不要看不起他，不要罵他；不要在不小心的時候，貶低他的價值；不要把他拿來與別人比較；這些都可以幫助他了解，他是特別、獨一的。欣賞他、鼓勵他。

怎麼樣讓孩子之間、弟兄姐妹之間沒有比較？這是看你怎麼樣教。你從小教他們不要比較，而且父母親也沒有把他們拿來比較；也要注意你的談話，是不是常常有漏掉說出妳對他們的看法。與別人談話的時候，有沒有說類似「老大比老二更聰明」，或是說「老三比老大更敏銳」這一類的話，常常無意中把孩子拿來比較。你應該告訴孩子，我們都是不同的，幫助他們彼此欣賞。你欣賞他們各別的恩賜。你說，上帝給你的恩賜真是特別，讓你有數學的頭腦；對另外一個孩子則說，感謝上帝給你這麼好的音樂才幹。如果你是真心的欣賞每一個孩子，他們不但知道自己是很特別，而且彼此之間因為聽到你這樣講，他們也會彼此欣賞創造者的奇妙。他們明白他們所有的都不是屬於自己，而是創造者個別給他們的；他們會互相欣賞創造者所造的。

你怎麼樣用平等和尊重的態度來教導孩子呢？平等就是每一個你都一樣的愛。人家問你，你最愛哪一個孩子？你說，我最愛老大，我也當然最愛老二，我也當然最愛老三，我當然也是最愛老四，每一個都是我的最愛。常常在話語之中表示你對他們的平等，也在你的行動上表現，比如吃東西的時候，你給他們的都是一樣的東西。你不能說，這是最好的肉就給最小的吃；這樣，大的孩子就會覺得你比較喜歡最小的。你應當說，這塊比較容易吃，給你們吧！媽媽牙齒比較好，可以吃比較硬的，這個比較軟的就給你們吃。你的孩子聽了，也會學你的樣子，把容易吃的給比較小的孩子。你這樣做了,你的孩子也會照樣做,大的確實是可以讓給小的，不是因爲被要求這樣做，而是出於愛心。

●怎樣讓孩子建立信心？孩子過份的膽小，怎麼樣用聖經來教導？

大概這裡指的意思就是所謂「自信心」。孩子的信心，不是叫他自己信自己。

有一個兒童節目，我與老大（那時三歲）一起觀看。這一個節目好像是在鼓勵孩子做事情要努力、要有恆心、要不放棄。當我看這個節目的時候，我心裡覺得不大對。節目裡有一架小火車要爬過一座高山，爬山的時候很吃力，這個小火車就一直說：「我可以啊！我可以，我可以爬過。」它一直講的時候就一直往上爬，結果就爬過這座高山了。後來，我想這是不對的。是不是你說「我可以」你就可以做到？原來這是關係到真理。在實際的情況之下，我們不是什麼都能做得到，不能因爲我說我做得到，我就一定做得到。我是不是可以爬到十層樓上，然後對自己說「我可以飛，我可以飛……」，是不是我就可以飛下去？當然不是啦！

既然如此，怎麼樣幫助孩子有自信心呢？他的信心要建立在誰上面？是建立在自己，信自己嗎？當我這樣問的時候，你想一想，你自己信得過嗎？是不是我說我可以做到，我就可以做到？當然不是的！有很多事情我都做不到。信心不是建立在自己身上，因爲我們自己連下一分鐘能不能活都還不曉得。這幾年來，我們看到很多大地震，日本、台灣、土耳其都各自發生了大地震。我常常在想，這些在地震中死亡的人，是不是曾在地震發生的前一天，與別人約好明天要做什麼呢？一定有的！這些人能不能把握他可以在那天與他所約的人見面呢？他當然不曉得！他怎麼知道那個早晨會有大地震？他又怎麼知道他就在大地震中喪命呢？我們這樣想的時候，我們就知道，如果是相信自己，那真是沒什麼用。有些人以爲他可以信自己，但是當分析的時候，你也發現我們不能信我們自己，因爲連我的命我都不能擔保，那裡還可以信我自己。

怎麼樣建立孩子的自信心？這問題應該改成，怎麼樣建立他對一位可信的有信心？我的一切所有的，生命、氣息、存留都在乎那位造生命的。我們要有信心嗎？我們要是知道祂是誰，祂是可信的，祂是愛我的，當然我就可以信祂了。這就是爲什麼我們要介紹這一位創造者給你，讓你的信心建立在這位可信者身上，你孩子的信心也要建立在這位可信的創造者身上。

怎麼樣建立呢？孩子的膽子過份的小，怎麼樣用聖經來教導？如果這孩子的膽子很小的話，你必須知道他是怕什麼。他怕什麼？他是怕「不知道」嗎？他膽子很小，可能他就是對那個「不知道」很怕。誰知道將來呢？你不知道，我也不知道，只有一位知道，就是那位超過時間限制的天父。我們可以對膽小的孩子說，雖然你怕，不知道前面是什麼，你不知道將來是怎樣，但是有一位知道的，就是你的創造者、天父、天上的爸爸。祂愛你最完全，比你的媽媽、爸爸愛你更完全，因爲祂是天上的爸爸，力量很大，什麼事情都可以辦得到。我們可以不怕，當你怕的時候就告訴天父，「天父，我很怕，但是祢是什麼都不怕的。祢來跟我一起，跟我一起走，我就不需要怕了！」

孩子小的時候，可能很怕打雷、閃電，你告訴他，「不要怕，不要怕」；那大概沒有什麼用。如果你解釋給他聽，你的天父的力量多大。聖經裡頭描寫上帝講話的時候，比雷還大聲。哇，好偉大哦！雖然我們很怕雷聲，但是上帝比它的能力大得多多了。祂愛你，你在祂的保護之中，當然是不用怕了。

當我們的孩子知道生活上每一樣事情都在上帝的手中，我的明天是祂掌握的，我的前途是祂掌握的，那我就不需要怕了。耶穌基督在世上的時候做了什麼？耶穌基督在世上的時候，祂可以講一句話就醫好病，如果生病了沒關係，我們告訴耶穌，祂是全能的，什麼都可以做到。如果祂說這病對你不好，祂一定會把你醫好；如果祂說這病有更好的，要你得到的話，那我也不需要怕了，因爲當時候到了，耶穌基督就會把這病拿開，把更好的給我。

耶穌在世上做了什麼？祂趕鬼，祂講一句話就把污鬼趕掉。小孩子有時候聽人家講故事而怕鬼、怕黑，我們也解釋給他聽，不需要害怕，因爲耶穌基督已勝過世界上一切的看得見、看不見的能力，特別是魔鬼，耶穌講一句話就把魔鬼都趕出去。當你請耶穌作救主的時候，祂也把這個權柄給你，你也可以奉耶穌基督的名吩咐魔鬼出去；當然我們要過一個聖潔的生活，才不會被魔鬼控告。

耶穌還做什麼？祂與門徒在船上的時候，風浪大做，船快要沉了，耶穌起來說，「平靜吧！」風浪就平靜了，耶穌可以勝過風浪。我們在生活上面有很多的風浪，有時是真的風浪，在船上有浪，在飛機上有氣流，也有一些是我們感情的風浪，讀書方面的風浪，工作方面的風浪。我們都有不同的風浪，耶穌都可以勝過，只要我們聽祂的話，遵從祂所講的。耶穌的門徒多是打魚的，有一次他們打了整個晚上什麼都沒抓到。耶穌對他們說，「你把網往右邊放下去。」那個時候，這些門徒沒有說：「耶穌，我們從小是打魚的，祢是木匠，哪裡懂得打魚？」幸虧他們沒有這樣講，他們聽從耶穌的話，就收獲很多。耶穌懂不懂得打魚？當然懂的，宇宙是祂造的，每一條魚都是祂造的，每一條魚都是祂管的，祂當然懂得打魚了。

有一次，一位弟兄告訴我說：「妳沒做過生意，妳不懂啦，做生意時，我們不能完全誠實的。」是的，我不懂，但是耶穌懂啊。耶穌懂不懂得做生意？聖經說：「不可使慈愛和誠實離開你。」你想耶穌懂得做生意嗎？祂當然懂啦。祂可以祝福你的生意嗎？當然可以啦。我們不需要怕生意失敗，因爲耶穌基督知道怎麼樣做生意，我們請祂來作大老闆好了。祂告訴我們做什麼，我們就做什麼。

你還有什麼可以怕的？死，人都怕死，華人都不喜歡談到死。剛剛有一位姐妹告訴我一個好消息，她說她媽媽最近信了耶穌。以前如果她提到爸爸已經信了耶穌，過世的時候就用教會的儀式來舉行。如果稍微提一提，還沒有真正講出來，就會被媽媽罵死了。我們都怕死嘛，所以我們不講。是不是我們不講死亡，死亡就不會發生？當然不是！如果我們不談，只是在逃避，事實是「人人都有一死，死後且有審判」。我們怕死，但是聖經怎麼樣講呢？耶穌基督在世上的時候，被魔鬼試探，但是祂沒有犯罪，祂經歷的與我們一樣，祂經歷各樣的試探，這樣我們就知道祂了解我們所經歷的。祂也要藉著祂的死「敗壞那掌死權的，就是魔鬼」，這樣可以叫那些「一生因怕死而作奴僕的人」得到釋放。很多人一生怕死，以致做事情時沒有一個方向、一個原則，但是耶穌基督來了，解釋了我們不需要怕死。當我們有祂的生命，這個永恆的生命，不會死，因此我們不怕死。如果你的孩子怕死，你就可以解釋給他聽。人人都有一死，死後且有審判，每一個人都會死的，但是不要緊的，如果有了耶穌基督的生命，這生命就會存到永遠。聖經告訴我們，我們已經有永生了，因爲我們有了耶穌基督的生命，所以就不需要怕死了。

還有什麼可怕的？窮嗎？那也不需要怕。聖經告訴我們，我們要先求祂的國和祂的義，我們所需要的這一切，祂就會賜給我們。先求上帝的管理，祂的國就是祂的管理範圍，我們要在祂的管理範圍裡面；祂的義就是祂的標準，追求上帝的標準。這樣，祂會給我們所需要的，祂給的不是我們要的，因爲我們要的不一定是我們所需要，我們要的也不一定對我們最好的；祂知道什麼對我們最好，祂也知道我們真正需要的是什麼，祂會把我們的需要給我們。你還怕窮嗎？不需要了，因爲耶穌基督會給我們足夠的。

怕病嗎？我們已經講過耶穌可以醫治病人，對嗎？

沒飯吃嗎？耶穌以五個餅、兩條魚給幾千人吃了。耶穌基督把水變成酒，帶給婚宴喜樂。沒工作做嗎？猶太人曾問耶穌，我們要做什麼，才是做上帝的工？耶穌回答，信祂所差來的，就是做上帝的工。當你有心要做上帝的工的時候，預備好要做的話，上帝就把機會給你了。剛剛接到一位親戚的消息，哇，她已經忙得不得了，因爲她在幫助華人的學者信耶穌。她自己煮，作大廚，煮飯請這些學生來吃飯，帶他們去做應該做的事情，帶他們去參加教會的查經班，與他們上一些課程，讓他們認識耶穌基督，也可以得到耶穌給他們豐盛的生命。最後，她把原來的工作辭掉了，提早幾年退休。這種的退休實在是一點也不休。他忙得不得了，忙得沒有時間做他本來認爲很有意義的工作，就把這做了幾十年的工作辭掉，讓自己有更多的時間來幫助人。有沒有工作做？有，上帝給她更好的工作。你說，沒上班了，也沒有工資？不要怕，上帝自己會給她更好的工資，因爲我們是萬王之王的兒女，你一點也不用怕。

小孩子還有什麼怕的？你問他怕什麼，然後把他的注意力帶到上帝那裡去。如果他怕在人家面前講話，你怎麼樣幫助他呢？你跟他一起禱告。誰造人的口的？聖經說誰造人的口？誰給人口才？誰給人頭腦？你幫助他把注意力帶到他的創造者那裡去。

我記得我們的小兒子小時候也很怕上學，我當然陪他去，讓他慢慢的建立起對老師的信任。陪到他比較不怕的時候，我就慢慢的離開多一點時間。開頭的時候，對他說媽媽要上洗手間去，十分鐘就回來。他知道我去什麼地方就不怕了，我十分鐘之內就回來了，向他證明我是值得信任的，我講的話我做到。之後，告訴他媽媽要去幫助老師做什麼事情，十五分鐘就回來，就是這樣的建立他。後來當然是不需要再陪了，他已不怕了，因爲你建立他的信心，你有信用。不單是你是可以信的，更要讓他知道他的創造者更是可信的。

當你帶孩子禱告的時候，禱告之後說：「奉耶穌基督的名禱告，阿們！」向他解釋阿們的意思是「我是誠心的，我是真真誠誠實實的，我的禱告是真誠的；另外一方面，阿們也告訴我們，主耶穌基督是可信、可靠的，祂有信用、能力，我們可以靠祂」。我們與孩子一起禱告的時候，他就知道你們在禱告什麼了。你可以把孩子每一樣怕的事情，帶到天父那裡，他就不需要怕。信心不是建立在自己身上，信心是建立在這位可信的、靠得住的天父、創造宇宙者的身上。

●妳孩子的智商有多少？

老大小的時候已經超過一百六十了，其他兩個也是從小就超過一百六十。老大在大學的時候，大學的心理學家給他的估計是二百二十。照著智商的定義，最高就是一百六十，因爲它是用十六歲的孩子來做比較，所以最高就是一百六十，不能再高了。如果人家說智商高過一百六十的話，其實是一種估計而已。老四的智商是在一百五十至一百六十之間，這是我們孩子可以測到的智商。

話說回來，智商測驗只是把很多人的成績收集起來，訂一個平均值，再以該平均值作爲測試某一個人的智商程度。智商測驗本身只可以測到設計這測驗者所指定的範圍，多數只是讀書和數學的程度而已。你不需把精神放在智商上面。有些人爲了要增加智商，而故意去讀智商測驗的題目，再給他標準的答案，這樣智商測驗就變成沒用了。

●如果只單靠家庭栽培孩子的潛能，可能因爲財力的限制而沒有辦法全面性的發揮。請問有什麼秘訣讓天生的才能可以

得到落實？

當然最理想的狀況是整個社會都投入。在今天的實際情況之下，社會並不負責栽培你的孩子。教養孩子的主要責任是在父母親身上，其他的因素如社會、國家等都是幫補父母親的功能而已。可不可能因爲財力的限制而沒有辦法全面性的發揮呢？當然有這個可能。但是財力並不是最重要的因素，人力更重要。最重要的是，你有真理，你有從創造者而來的力量。照著創造者怎麼樣造這個孩子，你就接納他；他的才幹，你也接納；他的外貌，你也接納；他有什麼可以進步的，你就照著他的學習方法讓他進步。

●孩子成爲天才，是什麼原因造成？

我們已經講了，什麼是天才？既然才幹都是天給的，所有的人都是天才。什麼原因造成？創造者造他，給他個別不同的才幹。

我相信他要問的是，妳的孩子爲什麼那麼早可以進大學？我們四個孩子是在九至十二歲之間考進了大學的。他要問的可能就是這類問題，我的回答：因爲那是適合他們的。我們盡量去找適合我們孩子學習的。

●妳的孩子是屬於學校功課優秀型的，怎麼樣同時訓練他們有良好的EQ（如人際關係或做家事等）？

如果他做得了學校的功課，當然就讓他去做了。他做得很快，做得很舒服，就讓他去做。他上第幾班不是很重要的事情，重要的是他學得很快樂。EQ人際關係怎麼樣建立呢？

讓他知道人是上帝所造的，他就會尊重別人，他就會幫助別人。

●什麼是天才兒童？普通的兒童是不是可以超越天才兒童？

所有才幹都是天給的，每一個都是天才兒童。既然每一個人都是天才，那就沒有所謂的超越天才兒童了，只是他的天才與別人的天才不同而已。可能問題的意思是說，「他的智商不是一百四十五以上，心理學家也沒有把他叫做天才」，那只是心理學家所定的規矩。其實他的智商沒有那麼高也沒關係，如果他是良善和忠心，他就成功了，上帝就說「好」了。

●是不是妳教孩子的讀書方法和普通人不一樣？請告訴我，妳教孩子的讀書方法。

每一個人的讀書方法不同，作爲一個好的老師，你要了解你的孩子。你要幫助你的孩子，要知道他們的讀書方法。比如我們老大讀書是以一個觀念開始，觀念一學會，他就知道。他常常把報紙、書本上的句子，整句這樣記起來，讀給我們聽。

當你發現原來不是每一個孩子都可以讀書，我們就不需要規定某一個孩子在某一個歲數讀書。有的可以很早讀，有的卻很遲才讀。你要照著你孩子的讀書方法來幫助他，用耳朵的，你要讓他用耳朵；用手的，你就要讓他用手；用眼睛的，你就讓他用眼睛；所以你要去研究你的孩子。

有的孩子是不會把英文字母放在一起讀出聲音來，可能他只認那個字的樣子，這樣我們就不要強迫他要用拼音的方法來學習。不同的學習方法，可以爲不同的人帶來幫助。比如英文的拼音，有一些孩子總是拼錯的，怎麼辦呢？一方面我們可以幫助他認得那個字的樣子，另一方面我們也不要把這件事情看爲太大。我們可以幫助他說，現在打字機很多都有 Spell Check 的功能，它會幫助你去找那一個字是寫錯了。他寫錯的話，看了一次又一次，看多幾次就會記得了。

不同的人有不同的方法。我們老二是用耳朵，老三比較用眼睛，老四是什麼都用一點，他的手也加上去。我是注重用眼睛來學習，如果是我不能看見的東西，就很難學、很難記了。如果你告訴我一個名字，我要問你怎麼樣寫，我寫了放在頭腦裡面，我才可以記得你的名字。

●誰決定妳的老大在十歲的時候開始在大學唸書呢？他們的智商是不是比他們同年齡的人高？

他們的智商比同年齡的人高，這只是一個統計學而已。智商測驗是以多數人的表現爲平均值，以此測試某一個人與一堆人比較，回答多少的題目。不一定每一個智商測驗都適合你的孩子應用，而且每一個人的學習速度都不同。一個學得比較快的，可能很快就把小學的東西學完，又很快的再把中學的東西學完。在這個情況下，我們就不能強迫他還留在一個對他很苦悶的環境中，我們可以試試看，是不是可以到大學去唸書了。當我們的老大把中學的數學全讀完的時候，我們只好考慮送他去大學，這是我們爲父母的、大學心理學家與老大一起談，我們也爲此禱告，最後的決定還是老大的。

●如果一個孩子沒有上中小學而直上大學，是不是違反人生的過程？

人生有什麼過程？上帝給我們人生的過程是怎麼樣？起初上帝造的時候，是父母親教孩子的，當時並沒有學校，都是以一家爲一單位，家長要負責教導他家裡的人。這樣看來，教育的責任是在父母親身上。小學、中學、大學是怎麼樣定出來呢？那是後來社會經驗的累積，發現把學習同樣東西的孩子放在一起，教起來比較容易、比較不吃力，所以就有小學、中學、大學的分別。既然原本的目的就是要把學同樣東西的孩子聚合起來，你孩子的程度是與大學裡的學生一樣，他去大學當然是很自然的事。

●小小年齡上大學，妳不擔心他心理上還不成熟，與周圍的小朋友格格不入？妳怎麼樣知道創造者給妳的孩子是什麼樣的才幹呢？

心理上的不成熟，在什麼年齡你都要擔心他心理上的不成熟。怎樣幫助他們心理上成熟呢？你要照著創造的真理來幫助他，幫助他發現人的問題是自我中心，幫助他從小就跟耶穌基督建立生命的關係，讓他的生命與生命的源頭連接，他就與其他人沒有什麼格格不入。他可以與小朋友們玩，也可以與成人相處。老大告訴我，他與兩歲的孩子一起玩，就玩兩歲的東西；與四十歲的人講話，就講四十歲的人關心的題目。

●請問妳的小孩年紀這麼小在大學讀書，是不是有面臨年齡層的問題，或讓別人以異樣的眼光看待？能不能和別人和睦

相處呢？心智會平衡嗎？

小孩子教得對的話，就沒有什麼年齡層，他可以與每一個年齡層的人談話。起初人家可能會用異樣的眼光，過了一陣他們就知道這是他的同學，沒有什麼特別了。

老大畢業那年，他十三歲，同一屆也有一位老人家八十四歲畢業。請問在十三至八十四之間有多少年齡層？他們都是同學，不必要去關注有沒有年齡層。如果從十三至八十四歲都沒有年齡層，大概我們也不需太擔心了。能夠跟人家和睦相處嗎？不同年齡的可以和睦相處，同年齡也可能會彼此吵架，這都是看你是怎麼樣教他們與人和睦，教他們上帝的愛。

●妳的子女全部都很早被認定是天才，會不會縮短他們的童年呢？對他們的社交方面有什麼不利嗎？

這是一般人常問的問題。如果我的孩子在場，我就讓他們自己回答。他們會說，我現在還在享受我的童年！這是不需要擔憂的，他們仍然有好奇心，喜歡去研究東西，喜歡去玩，有空閒的時間；雖然上了大學，還是可以有這些活動，還可以享受童年。如果你照著聖經所講的去服事人，當然你就受歡迎了，社交方面也不會有什麼不利了。

●我有三個小孩，分別爲三年級、大班、中班。我希望陪他們做一些他們喜歡的事，可是往往陪這個，那個就會不高興，就會過來吵。我現在已經不敢再嘗試分別陪他們了。請問我該怎麼做？

可能的話，你就分別的帶他們出去。以輪流的方式，這個禮拜六是帶這個，下個禮拜六是帶那個，有個別的時間。但是，也不一定要有個別的時間，如果他們彼此相處得非常好，你也可以一起帶他們，他們會更快樂。

●我怎麼樣幫助我的孩子有立場？無論是信念上，在他們穿的衣服，在他們對社會上不同的看法，物質上的需要或是對道德方面有立場呢？

唯一的辦法就是他有一個真正的立場，不會錯的立場，當然是聖經的立場。比如穿衣服，聖經告訴我們，人犯罪之後，上帝才給我們衣服穿，所以穿衣服不單爲著保暖，也是爲了遮蓋羞恥，避免給人家淫念。我們的衣服就是一個廣告，讓人家知道我是怎麼樣的一個人。如果我穿怪怪的衣服，我是讓大家覺得我是怪怪的人；如果我穿很暴露的衣服，我是讓大家覺得我是一個暴露的人。我們要做一個怎麼樣的人？我們的衣服會告訴別人，我們是怎麼樣的人。所以我們不需要跟著潮流走。如果現在的潮流不適合我，我就不需要跟；如果現在的潮流碰巧與聖經的原則一樣，又適合我穿的話，當然是無所謂了。我們不需要被潮流控制。

對社會的看法呢？世界上的社會沒有一個是完全、十全十美的。誰的才是最好呢？當然是上帝來管理世界的時候。聖經應許我們，有一天耶穌要回來管理這個世界，祂的管理就是十全十美了，因爲祂是完全良善、完全的愛、全能的神，什麼問題都可以解決；祂是完全的公義，就不會有冤枉的事情了；沒有人會肚子餓，因爲祂是全能的神，可以讓每一個人都有足夠的東西吃，每一個人都有適當的工作做。只有耶穌基督來管理的時候，才是最好的社會。

你可以參考聖經，上帝給猶太人的條例。在管理社會的條例上，你會看到是公平的、公義的，而且是善惡分明的；殺人要償命，這是上帝的公義；傷害人要賠，這是上帝的公義；偷了別人的東西要賠上，這是上帝的公義；誤殺人的有逃城讓他逃到那裡去，這是上帝的慈愛。你可以去看聖經裡以色列人的條例。照著聖經所講的那種社會，就是人間最好的社會。「以耶和華為上帝的，那國是有福的。」

物質需要方面，兒女的物質需要有多少呢？有衣服穿，有食物吃，有房子住，有交通工具就夠了，其他的就不需要了。家裡不需要放滿東西，我們的衣服不需要太多；房子不需要太大，足夠住就好了；有交通工具就好了，不需要與別人比較，不要貪心。

道德方面，聖經講得非常清楚。孝敬父母，所以對父母要尊重。不可以殺人，什麼人都不可以謀殺，還沒有出生也不可以殺。不可以姦淫，除了一男一女的婚姻關係之外，性不能放在其他的地方。不可以偷盜，尊重人家也應當尊重他的東西。不可以作假見證陷害人，要做個誠實的人，假的話不可以講，更不可以去害人家。不可貪心，別人有的，我不一定要有，不需要與人家比較。我們幫助孩子最好的辦法，就是從小每天與他們一起讀聖經，讓上帝的話來幫助他。他知道創造者愛他，要他得福。「常遵守我的一切誡命，使他們和他們的子孫，永遠得福」，孩子自然有立場了。

●孩子犯了錯就跟爸爸講，如果爸爸又去告訴媽媽，孩子以後就不敢再講了。怎麼辦？是不是應該替孩子保密？

一般上，如果你跟我談你的問題，你所告訴我的，我不會再告訴其他的人，這是我們輔導的原則。你跟我談的問題，我不會再去跟其他人講，當然也不會跟我的丈夫講，因爲這是你個別跟我分享的事情；這是一般的原則，別人跟你講的話要保密。

爸爸媽媽都是關心孩子的。如果孩子犯了錯跟爸爸講，爸爸可以向他解釋，幫助他改進。爸爸也可以問孩子，你要我跟媽媽一起爲你禱告嗎？如果孩子堅持不要，那你就不需要跟媽媽講了。決定還是在於孩子要不要你替他保密，如果要的話，你就有責任替他保密。如果孩子覺得不需要保密，可以跟媽媽講，你們全家可以一起禱告，因爲爸爸和媽媽都是關懷孩子的，父母是二人成爲一體，他們可以一起來關懷孩子，但是你還是要尊重孩子的決定。

●當孩子不順服的時候，是不是要鞭打他呢？我的孩子有時候也不怕體罰，應該怎樣管教他呢？

當孩子不順服的時候。我們要先問一個問題，他不順服誰？如果他只是不順服我，我就要先了解到底我是對還是錯的；對的原則就是創造者的原則、聖經的原則。如果你發現他是違反真理，比如「不可以偷東西」，這是十條誡命裡所吩咐的，我們不可以偷別人的東西。他再次去偷的時候，你是不是有向他解釋，偷東西是上帝說不可做的事情？宇宙的創造者爲著愛我們、爲著保護我們，教導我們真理，我們不可以違反創造者所吩咐的。就好像不可以違反祂所造的自然律，如地心吸力，若違反了我們會害己害人。你有沒有解釋清楚？他了解嗎？

如果他年齡太小，只有一歲半、兩歲，可能他還不了解，我們盡量讓他離開這種不良的環境。但是長大一點了，懂得什麼叫做偷，我們也向他解釋了，如果再繼續去犯，你可以怎麼樣呢？你可以告訴他，媽媽已經講了好幾次，我有責任把上帝的話告訴你，因爲上帝愛我們，不願我們害己害人。祂告訴我們不可以偷盜，但是你好像不記得。好不好下一次媽媽換一個方式來教你，媽媽因爲愛你，所以不願意你受傷害，因爲違反上帝的律法你會害了自己，你也會害了別人。媽媽愛你，爲了幫助你記得，下一次我就用打的方式來提醒你。你們也要溝通清楚是怎麼樣打法，比如問他要打多少下才會記得。整個過程都是非常的平靜，沒有生氣也沒有鬧情緒，因爲如果你自己鬧情緒，你也就沒有資格管教他了。

如何有力量讓自己不生氣呢？你請了耶穌作救主，就可以向祂禱告說：「耶穌，我沒有力量，我快要生氣了，求祢幫助我，給我心裡平安，叫我可以溫柔，給我智慧的話。」當你從耶穌那裡得到平安喜樂，得到智慧的話，你教導孩子的時候，當然就教得好了。在情緒還沒穩定之前，請不要管教孩子，因爲會犯錯。

●妳是否有要求妳的兒女一定要讀中文？怎麼樣讓他們願意學中文呢？

我們的孩子看起來像華人，對不對？因爲我們是中國人。由於你懂得中文，你在聽這個錄音帶，在看這本書的時候，就表示你有中華民族文化的背景，所以我們的孩子生出來當然也像華人。可能他們出生的地方沒有使用中文，所以也就沒有學習中文的環境。

爲什麼你要你的孩子學習中文呢？其實，你要孩子學習中文應只有一個理由：將來如果上帝要使用他們，以中文向別人傳福音，那就方便得多了。所以學習中文是爲著服事上帝，祂將來要我做什麼，祂現在要我做什麼，祂造我是中國人那當然是最好的。因爲祂始終比我聰明，這是創造的真理。

孩子生長的環境如果沒有使用中文，那麼他學習中文就非常的困難。如果孩子沒有什麼興趣學習中文，我們可以幫助他們，提高他們的興趣。比如，我們可以帶他們去使用中文的地方渡假，一兩個月或兩三個禮拜。讓他們跟中國文化有一些的接觸，也讓他們看到上帝造這麼多的中國人。讓他們看見中國人的需要，有多少的中國人還不認識這位天地的主宰，他們在尋求，他們在敬拜，但是他們卻走錯了路。

我們要讓孩子知道，他既然認識了耶穌基督，他就有責任把福音、把得救的好消息講給其他中國人聽。上帝給我們才幹，給我們恩賜，給我們機會，也都是要我們抓住的。所以，既然父母親懂得中文，就應該幫助孩子，抓住這個機會學習中文。

●怎麼樣同時兼顧四個孩子不同的需要？

由於四個孩子不是同時的出現，所以沒有什麼困難。他們一個、一個的出來，不是同時間出來，所以可以應付得了。你甚至可以幫助孩子，讓他們彼此之間有良好的關係，他們也就不會同時搶著要媽媽，或搶著要爸爸！

●我有一個常常善變的孩子，決定之後又改變。怎麼辦呢？

要慢慢跟他談，可能他不知道選擇的意義。我們要讓他知道，選擇了之後就不需常常更改，所以要仔細的想過才做決定。有一些決定不是很重要的，比如他要吃多少，與真理是沒有什麼關係的，你只須告訴他，決定吃多少就拿多少。太少，吃完可以再拿；太多，吃不完就浪費了。有一些則是關於真理，他的選擇就很重要了。我們要教導他真理，也要教導他爲什麼一定要選擇真理。

●一個低能兒不去上班，他的媽媽就拿棍子恐嚇他，結果媽媽就被打得遍體受傷。媽媽說，「我受不了！這份工得來很不容易，不能不讓他去做工作，不能讓它丟了；算了吧！今天你我來一個死活吧！」對不對？

當然，這是不對！你愛你的孩子，你要照著真理愛他。他是一個低能兒，可能還無法了解一般人所了解的東西。你要他上班，你當然是爲著他的好處，但是你是否曾以他的角度看這件事，上班有沒有帶給他快樂？不是爲著上班而上班！我們爲的是他可否有一個快樂、敬虔的人生，上不上班不是最重要的事情。

當我們看見這個真理之後，你就不會再把「是否有上班」看得那麼嚴重，不會再爲了要他上班，就拿棍子來恐嚇他。其實，當媽媽用棍子來恐嚇他的時候，這個低能兒可能以爲媽媽要打他，他就會跟媽媽來搶棍子了。雖然他頭腦比較低能，但是他身體可能很強壯，反而打了媽媽。下次該有智慧處理了吧！

我們可以做的是先好好跟他談，帶他禱告，了解他工作的情況。可能他在那裡不快樂，而我們並不了解。抓住了真理，你就不會把這些不是真理的東西看得太重了。

●我明白聖經所說的凡事都可以行，但不都有益處的道理。怎麼樣處理來自同儕的壓力？有時候我不被同輩接納，也難找到傾訴的對象，自己又有時候想試試看潮流、新的東西，比如新的髮型、時裝等等？

這是很好的孩子，知道聖經講什麼，「凡事都可行但不都有益處」。當我們的同儕給我們壓力的時候，同樣也可以用這個原則來分辨。如果是有益處的，叫我們跟上帝更親近的，那我們就接受吧！謝謝他們給於我們的壓力。如果是與上帝的道理相違背的，沒有益處的，沒有叫你更像耶穌基督，你不需要接受。你不需要覺得這是一個壓力，因爲你知道你是誰，你知道你自己的價值，不需要你的同輩來認同你、給你價值，上帝已經給你價值了。你會發現，當你有立場的時候，其他的同輩反而看重你，喜歡跟你在一起。有時候很難找到傾訴的對像，你可以試試禱告上帝，「我需要一位愛祢的朋友，我們可以一起的長進！」上帝會爲你預備。

有時候試試看跟著潮流走，比如髮型、時裝等，也沒有什麼錯，只要這個髮型、時裝代表著你要告訴人家的你。有一次，我在火車站看到一個人把他的頭髮用髮膠黏住，中間舉起一條又高又綠色的髮柱，旁邊的頭髮卻被全部剃光。這個人在講什麼呢？他藉著他的髮型告訴別人，他要做一個怪怪的人，也要吸引別人注意他的怪。如果你不要像他所表達的那一套，你就不需要學這樣了。還有其他一些髮型，你可以試試看，如果與你要表達的自己沒有違反的話；人家看你是正經的人，而你要表達你是一個正經的人，那有什麼不好呢？有時候所流行的時裝，在你穿起來，又大方、又好看，那也沒有什麼問題；但是，有時候流行的時裝卻是叫別人以爲你是不正經的人，那當然不好了。

●怎樣與成年的兒女有良好的關係，特別是不信上帝的兒女？成年兒女成績差，我們怎麼樣幫助他？

兒女已經成年的話，你很難再幫助他們了。你唯一可以做的，是照著歌羅西書第四章所講的爲他們禱告、爲你自己禱告，請上帝開一道溝通的門，給你該說的話。當機會來時，讓你捉住機會。讓你的話有智慧，帶著和氣，好像用鹽調和；你對他有恩典，像耶穌基督對我們有恩典。他的成績不好，可以與他商量，看看能不能幫他找個方法來幫助他做功課。如果他不要，你就不要勉強了。每個人要負自己的責任。

●孩子不去教會，怎麼樣吸引他去教會或參加團契？

如果你的孩子從小就有了耶穌基督的生命，你可以帶他繼續的長大，每天與他一起讀聖經、禱告。長大後，他不去教會的話，是他自己的選擇；不過多數的情況，他還會繼續去教會，或是有一陣子不去之後再回頭。如果妳從來都沒有幫助妳的孩子接受耶穌基督的生命，他裡面就沒有生命和力量，要求他去教會是很難辦得到的！可能的話，你先把福音傳給他，或是爲他禱告，求上帝差一個跟他講得來的人傳福音給他，先讓他領受耶穌的生命。有了耶穌基督的生命之後，才吸引他去參加團契。在團契、教會裡面互相幫助，彼此鼓勵。

「彼此相顧，激發愛心，勉勵行善。」（希伯來書十章）

●我的第二個女兒不聽話，不做功課、懶散，每天不知道上課時間，愛花錢。她已經二十二歲，還是學生，怎麼樣幫助她？

二十二歲了，已經長大成人，機會過去了。補救的辦法，只有靠創造者 — 耶穌基督可以改變，因爲在神沒有難成的事。我們與二十二歲的孩子相處，千萬不要把她當作孩子。你可以與她討論、做朋友，但是你還要告訴她，「決定是你的，因爲是你自己的生命，你要活出你自己的生命。」

如果太遲睡覺以致隔天起不來，可以幫助她早一點上床睡覺解決問題。但是，同樣的，你只能勉勵她，不能勉強她。只能如朋友般勸她，不能爲她做決定。

至於錢，如果她自己沒有收入，自然是父母的錢，和她商量，多少零用錢是合理的。一切物質都是天父交給我們經營的，要照祂的旨意使用。

●如果孩子已經高中、受洗了，但卻不了解聖經。我希望他回去教會聚會，學習上帝的話。除了禱告之外，我還能爲他做什麼？

從自己做起！你要作一個好媽媽或是好爸爸。你去讀聖經，照著聖經所講的來行。比如聖經說，「你們作父親的，不要惹兒女的氣，只要照著主的教訓和警誡來養育他們。」作父親的不要讓孩子失去他的志氣，要給孩子鼓勵，與他談話時要有禮貌。作母親也是一樣，表達妳的愛，幫助他學習新的習慣。孩子長大了，你必須把他當做成人來跟他交談，然後把責任交給他。

很可惜，有些人不了解，以爲「信教」、「受洗」就等於有創造者的生命。受洗，應該是有了耶穌基督的生命之後的見證，受洗本身不能叫一個人得救。「我們得救是本乎恩，也因著信。」得到耶穌基督的生命是祂的恩典，是禮物，不是因爲我們做了什麼事。耶穌已成就了救恩，我們以信心接受這禮物，一生信祂、順服祂。

●澳洲的法律規定，孩子十八歲之後就是成人，他有自主權，不再受父母的限制。我認爲孩子的成熟不能以年齡來鑒定；如果他們自認有自主權，自做自爲又顯出各方面的不成熟；父母親擔心又被認爲沒有權過問。應該怎麼樣處理？

社會的法律當然並不是上帝的法律，所以這種法律其實是不合理的法律。身爲父母親應該從小帶領孩子，在上帝的法律上面成長。當他們可以獨立，可以自己做正確的決定，自己聽上帝的話的時候，他就可以離開父母。你看我們在社會之中有很多不合理的事情，我們應該從小就教養我們的孩子真理。如果你從小和孩子建立了親情，他會信任你，不會因爲社會的法律而不尊重你，不考慮你所講的。如果你沒有建立這種親情，那也不能怪社會了。孩子與父母的關係，應該比任何社會的規定緊密。

●孩子長大了，傷害也造成了，怎麼辦？

你要對上帝說對不起，爲了你做錯的向上帝認罪。你也要對孩子說對不起，向他說你以前不曉得，希望他原諒你，現在你要重新學習，至於要不要接受你的道歉是他的責任。你可以禱告，「上帝啊，我以前做錯了，我怎麼辦呢？我希望我的孩子的傷害可以減少。求祢給我智慧，讓我說該說的話。求祢也給我孩子有一些基督徒的朋友，可以把祢的話傳給他。」然後，你照著上帝的辦法與他交往。尊重他、聆聽他、了解他、同情他、鼓勵他合乎真理的言行，不要批評他，而是以身作則行良善的事。多讀聖經才知道何謂善，才有智慧。多禱告，讓上帝改變你。當你們可以「彼此認罪，互相代求」時，就可得醫治了。（雅各書五章）

●孩子有同性戀的傾向，也陷溺色情。怎麼樣解決呢？

有同性戀的傾向，就是不了解上帝的創造。上帝照著自己的形象造男造女，祂看男女是一樣的重要，祂也指定性的功能只可以用在一男一女的婚姻關係中。你應該怎麼樣的幫助他？從上帝的創造介紹起，讓他知道自做主張的錯，然後讓他在耶穌基督的能力下，讓耶穌來改變他。當然，講是容易，做起來卻是不容易，希望你在我們的其他解答中可以學習。從你自己來做起，從你自己的改變，對孩子可能就有幫助。不少個案，是因爲男孩缺乏父愛，我們傳統的「嚴父慈母」，造成父親不會表達愛，特別是對兒子。兒子得不到父愛，而渴望得到，因此找錯了。希望爲父者特別留意。

●現代人常常以成功自誇，但是我覺得成功根本不算什麼，因爲最重要是將榮耀歸予神；什麼事情都應在神的管制之下，不能與神的作爲比較。我覺得必須將這個信息說給孩子聽，妳認爲怎麼樣？

是的！現代人常常以爲成功就是錢很多、學問很高、學位很高或是有權柄、有權勢、有名。上帝成功的標準卻不是這樣！我們已經講過了。榮耀上帝是什麼？上帝造我是怎麼樣一個人，我就做我應該做的，那是在榮耀上帝了！但是也不要以這個成爲藉口說，我不需要用功了，總之我什麼都是上帝在管。那也不是在榮耀上帝！

一朵玫瑰花如何榮耀上帝呢？它開得漂亮，給上帝看，「祢造的應該這麼漂亮，我就長得這麼漂亮」，這是在榮耀上帝。上帝造你的才能是怎麼樣，你做給上帝看，「祢造我是有這些才能，我已經把祢給我的栽培起來，我用它來服事人，做我應當做的，照祢良善的標準。」這就是榮耀上帝了，這也是我們要傳給孩子的信息。

●怎麼樣讓孩子在看電視、音樂、看書時有一個固定的道德標準？

道德標準，誰的？當然是創造者的道德標準。

怎麼樣給他們有這個標準呢？從小一直教他們，他們就會有這個道德標準；交鬼的書不看了，可怕、色情、暴力的書也不看，電影也是同樣。上帝說不好的，就不看，音樂也是一樣的。如果這個孩子從小有耶穌的生命在他裡面，他可以常常問耶穌，祢喜不喜歡聽這種音樂？祢喜不喜歡看這個電影？祢會看這種書嗎？如果耶穌不喜歡，我也不喜歡了，這就是道德標準；耶穌的標準，就是道德標準。其他的標準只是人「自作主張」的產品而已。

●教孩子的時候，有時覺得自己時間不夠，會顯出不耐煩。怎麼樣調整呢？

不耐煩的話，求耶穌基督給你平安！當你以爲時間不夠而不耐煩，你會浪費更多的時間，因爲你還要用一些時間來彌補你因爲不耐煩所造成的傷害。當我們停下來，求耶穌基督給我們平安，祂會把出人意外的平安給我們。當祂的平安臨到你的時候，你自然就可以調整，不會不耐煩了。當我們不耐煩的時候，最好不要講話，不要做什麼事，這樣就減少了破壞。你沒有破壞，就是節省很多的時間。

●哪些生氣方式是比較有建設性的？請舉例說明。

沒有一樣的生氣方式是有建設性的！聖經告訴我們，人的怒氣不能成就上帝的義。我們從裡面生出來的怒氣都是敗壞的，所以不要讓我們有任何的怒氣。如果你生氣了，怎麼樣有建設性的來彌補呢？第一、你要認罪。第二、要開始進一步求上帝讓我不要生氣；我每一次做事情的時候，先與上帝講話；人家要挑我生氣的話，我告訴上帝：「上帝啊，祢幫助我不生氣，給我力量，與祢講話而不聽他罵我的話，我就不會生氣了！」

如果意見不同，可以平心靜氣的來溝通，聆聽彼此的想法，彼此了解，再一同採納聖經的真理。如果兩人的意見都合乎真理，則採取愛的順服。

●明明知道要陪孩子、尊重孩子，但卻心有餘又力不足，怎麼樣克服自己的心境？

與上面的問題一樣，要信靠耶穌基督！雖然你的時間不多，但是如果你做的是把上帝的愛和你的愛傳遞給孩子，你就可以有很多的成就。

●我怎樣教導孩子用錢？

錢是上帝交給我們管理的項目之一。聖經說「貪財是萬惡之根」，而沒有說錢是萬惡之根。在聖經裡面，上帝祝福人，也賜給他們很多的財物。比如約伯，上帝祝福他，給他很多東西；多到魔鬼說，上帝啊，約伯是因爲祢給他的福氣，所以才信靠祢而已。事實上，約伯不是這樣，他是爲著上帝本身來敬拜上帝，不是爲著上帝給他的福氣。我們也應該這樣的教孩子，錢是上帝給我們的福氣，但是錢本身不重要，重要的是給我們福氣的那一位 — 宇宙的創造者、我的天父！關於錢方面，也是要先問上帝怎麼樣的用。

首先，當然要有十份之一的奉獻。一般來講，我是鼓勵我們的孩子把十份之一放在他所服事的教會，就是他聚會的地方；超過十份之一的，則可以選擇奉獻在其他傳福音的機構或個人。我們這樣的鼓勵我們的孩子，因爲在他服事的教會裡，起碼的一個責任就是經濟上的責任，十份之一是最起碼的經濟責任了。你也可以多多奉獻，聖經沒有說只可以奉獻十份之一而已。如果你有一千塊錢，你奉獻十份之一，還有九百塊可以讓你足夠應用；現在你有一萬塊錢，你也可以只用九百塊錢，其他的則全部奉獻。不需要因爲錢多，我們的生活就奢侈，買一些不必要的東西。

有一位弟兄問，我奉獻了十份之一，十份之九是誰的？不是我的，十份之九還是上帝的。我們教我們的孩子用錢，應該是這樣的教法，讓他們在每一件事情上都問上帝，祢要我怎麼樣做？我的才能，祢要我怎麼樣做？我的錢，祢要我怎麼樣做？我整個人，祢要我怎麼樣做？因爲我是屬於祢的，我的才能也是祢的，我的錢也是祢的，我整個人都是祢的，祢告訴我怎麼做！給孩子零用錢時，我們要教得清楚，要不然孩子會認爲，這是我的錢，我喜歡怎麼用就怎麼用，你管不了。我們要教得清楚，沒有一樣是我的，連我的生命也不是我的。

●怎麼樣向孩子教導性教育？

簡單來說，我們要教導的是，家庭是什麼？怎麼樣進入家庭的關係？我們從什麼地方教起呢？從創世記教起，創世記說，男人的責任是要照顧這個家，他要爲家帶來安全感，爲家帶來安慰、安定，要服事這個家，要看守這個家；不要讓危險進來，不要讓家裡的成員走失了路。要看守上帝的律法，帶領全家順從。女人要找一個配偶是與她配合的，同樣的思想，同樣以上帝爲主，男人當然也是如此。女人的責任是要幫助男人完成上帝給他的責任，這就是爲什麼女人的生命力比較強。

事實上，我們從生理上可以看到上帝給我們這些條件。男人要保護他的家，所以他的肌肉多一點，身材大一點；他要服事這個家，所以他高一點，高地方的東西可以拿得到；他帶來家庭的安全感，所以他必須要有能力帶給家裡有足夠的吃，有住的地方，家裡可以安全；不要一天到晚到外面去，他要爲家裡帶來安全感和安慰。女人需要幫助男人，所以生命力比較強，常常也比較長命。我們在遺傳基因上看到，女的遺傳基因有兩個X，如果其中一個X上面有病，另外一個沒有病的話，這個病就不會顯出來；男的只有一個X，如果在這個X上面有病的話，這個病就會顯出來了；所以女人的人壽保費比較便宜，因爲她們比較長命。

孩子也要了解婚姻是「人要離開父母，與妻子連合，二人成爲一體」。他們現在就要預備可以離開父母，成爲一個獨立的人；自己可以照顧自己的生活，自己可以照顧自己的經濟，自己可以照顧自己的感情，自己可以控制自己的情緒。他也可以照著上帝的良善和忠心的標準來進行他的生命。現在就要開始學習這一些，這是正常的性教育。至於性生活是怎麼樣的，不需要在他們小的時候教，照著他們年齡，適當的給他們一些健康的書本、照著聖經原則所教的書本，讓他們自己看，那就可以了！

最重要的是，教導家庭是什麼。讓他們交朋友的時候，知道為著將來的家庭，不要隨便交朋友。聖經對家庭有一個很嚴緊的原則，就是信與不信不相配。我們的孩子要從小知道未來的結婚對象不可以是還沒有信耶穌的人，因為那是違反了上帝所定下來的原則，是沒有例外的。

有一次，有位丈夫對我說，他真是有福氣，在他還沒有信主的時候，他已信主的女朋友當時肯與他結婚。現在這位丈夫已經信主而且很熱心了！我與他們一家一起讀聖經的時候，談到這一方面的問題。我問孩子們，他們的父母親結婚的時候，爸爸還不是基督徒，但是父親現在又這麼熱心愛主，爸爸的例子，告訴他們什麼呢？是不是可以與還沒有信主的人結婚呢？不是的！打個比方，我們都知道，不應該從十層樓跳下去，因為有地心吸力，會導致傷亡，我們接受「不要從高處跳下來」的原則。如果你今天看見另外一個人從十層樓跳下來，他沒有受傷，可能還得到很多人的稱讚，得到很多的禮物。是不是因著這個例子，你就也可以從十層樓跳下去？

雖然父親結婚後信了耶穌而且很愛主，這只是上帝的恩典，不能成為「可以與未信者結婚」的原則。是上帝特別給他的恩典，是他接受了上帝的恩典，並不等於說其他的人也可以照樣的違反上帝的原則。當然，上帝可能同樣給別人這樣的恩典，但祂並沒有這樣保證。就如我們購買了一副機器，說明書裡註明除非我們是照著手冊裡所講的來操作，不然維修的保證就作廢了。如果你亂用這個機器，我們的擔保就作廢了！如果有人亂用了這個機器，碰巧工廠有個大贈送，送了個新的給他。這是不是也告訴我們說，我也可以隨時亂用我的機器呢？上帝的恩典是上帝的恩典，人的經歷是人的經歷，真理是永恆的真理；你要做的是照著上帝永恆的真理，而不是用一個人的經歷，也不濫用上帝的恩典。

●我怎麼樣幫助孩子知道傳統的家庭是上帝所命定的？

這個問題和剛才的問題是一樣的，就是你每天要與孩子一起讀聖經。當他從小讀了聖經，他也會了解到所讀的。例如大衛王違反了上帝的原則，他的結果怎麼樣；聖經裡最出名的所羅門王，違反了上帝的原則，結果他行上帝眼中看爲惡的事等等。

當我們每天與小孩子一起讀聖經，比如你像我們一樣，一天只讀一章，雖然是很短，但是小孩子三歲的時候就已經聽過一次了，六歲就聽了兩次，到了十二歲他已經全本聖經聽過四次了。再加上他自己的靈修，可能聖經已經讀了起碼六次了，他會沒有印象嗎？當然有印象啦！當他十五歲的時候，他已經讀了八次了，有沒有印象呢？知不知道上帝的原則呢？當然知道。這個是最好的性教育方法，直接用上帝的話語和聖經的例子來教導孩子。

至於「傳統的家庭」是否上帝所命定的，那要看傳統是傳了什麼。人的傳統不一定符合上帝的真理，要以創造者的真理爲準。

●怎樣幫助我的孩子應付色情的畫報、不好靈性影響、異端邪說、毒品等的試探與影響呢？

你要幫助你的孩子，就從我們的大綱做起。幫助孩子了解他的價值，幫助孩子了解上帝造他是特別的，幫助孩子發現上帝給他的，而栽培發揮之。我們與他的交往上，要表示我們的尊重，照著上帝給他的來尊重他。我們與他一起讀聖經的時候，讓他看見上帝的律法，祂是立法者，祂會告訴我們什麼是對、什麼是錯，我們要教導孩子學習。我們讓他看見魔鬼的可怕，魔鬼常常要我們離開上帝的律法，害己害人。我們唯有靠著耶穌基督，在耶穌基督的力量、保護裡面，我們才可以勝過魔鬼的誘惑。

什麼是異端邪說呢？我們給他看正面的東西，上帝的話是正面的，若是與正面的不同，那就是異端邪說。例如今天有人說，我去什麼地方，他們跟我們按手，一按手就躺在地上大叫，學狗叫、獅子叫等等。我們就立刻問自己，聖經到底有沒有這樣講？若是聖經沒有這樣的教導，而且上帝造人所給人的尊嚴絕不會叫人去模仿動物的，對不對？我們就知道那便是異端邪說了，是錯誤的。

或許，有人問，你是不是真正得救啊？你重生了沒有？你重生的時候哭了多少？有沒有哭夠？如果你哭不夠，你就是還沒有重生。我們就問聖經有沒有這樣講。聖經說我們必定得救，聖經也告訴我們怎麼樣可以得救，對不對？羅馬書第十章告訴我們，只要我們口裡認耶穌爲主（耶穌是我的老闆，我承認祂），心裡信上帝叫祂從死裡復活，就必得救。我心裡相信耶穌基督從死裡復活，證明祂的神性，耶穌是我的老闆，我願意聽從祂，這樣的人就必得救。聖經有沒有說你要哭多少才能得救呢？如果沒有，你就知道那些人所講的是異端，不是聖經所教導的，你就懂得分辨了。

有的人甚至會告訴你，你一定要講一些奇奇怪怪的話。

你也可以問自己，聖經是怎麼樣講的？耶穌有沒有講一些奇奇怪怪的話？耶穌有沒有講無人能聽得懂的話？如果連耶穌也沒有這樣講，那肯定不是重要的事情了。聖經強調的是什麼呢？保羅說，我願意用悟性講你們聽懂的話，才可以建立彼此。聖經講到每一件事情都要有秩序，不可以亂講話，聚會之中也不是亂叫、亂講話的。當我們用聖經來對照的時候，你就會看得出哪一個是對、哪一個是錯？

或是有人說，「不要用你的頭腦、思維和推理，神太奇妙，我們要作屬靈人，才能看透萬事。因此要隨從晨星引導，如博士一樣；要等候天使顯現，如牧人一樣；要聖靈開啓，如彼得；人的本質，就是思考能力，是從撒但來的，是敵對神的。我們要有新觀念，舊約時代只知律法，新約時代才知主的代死和復活，現在是國度時代，我們才知道新工作。『閃電從東邊發出，直照到西邊。』這是最後時代 — 國度時代，上帝要完成救贖之工，不但救罪行也救罪性。因此第二次道成肉身來完成。第一次是男性，第二次是女性；第一次像猶太人，第二次是從東方，像中國人。」你看得出其中的錯誤嗎？舊約預言基督，新約基督應驗預言，完成救恩。那裡還來個中國的女基督！把聖經讀熟就不會被騙了。

毒品讓我們不能控制自己的思想。我們的思想是由誰來控制？全世界都臥在那惡者的手下。如果我們不晝夜思想上帝的律法，只是把頭腦放空，打坐不想其他東西，那麼誰會來掌握我們的思想呢？聖經告訴我們，魔鬼就像吼叫的獅子遍地遊行，尋找可吞吃的人。我們唯有在耶穌基督的保護之中，才可以勝過魔鬼。當我們放開頭腦，沒有讓上帝的話來充滿，恐怕魔鬼就很快的來控制我們的思想了。

聖經以弗所書第五章告訴我們什麼呢？「不要醉酒，酒能使人放蕩。」酒也是同樣的會叫人亂性，對不對？當我們控制不了自己的思想，結果魔鬼便來控制我們的思想。相反的，我們要讓聖靈來充滿，聖靈充滿的時候，以弗所書告訴我們有什麼現象呢？以弗所書五章 15-18 節：「你們要謹慎行事，不要像愚昧人，當像智慧人。要愛惜光陰，因為現今的世代邪惡。不要作糊塗人，要明白主的旨意如何。不要醉酒，酒能使人放蕩；乃要被聖靈充滿。」我們要搶救機會，不要浪費時間；不要糊里糊塗聽從別人所講的，自己勤讀聖經才會明白主的旨意如何。

以弗所書五章 19-21 節：「當用詩章、頌詞、靈歌，彼此對說，口唱心和的讚美主。凡事要奉我們主耶穌基督的名，常常感謝父神。又當存敬畏基督的心，彼此順服。」

一個真正信耶穌的人會讚美主，他不會只講一些讓人聽不懂的話，他會讚美主。如果我們聽不懂，自己也不知道自己在講什麼，那會不會被魔鬼利用，不是讚美主而是咒詛主呢？曾經有這樣的事情發生過，在一個場合有人講了一些奇怪的話，當場恰好有一位聽得懂德文的人，發現這個講話的人原來不懂得德文，卻用德文在罵耶穌！你應當知道這人裡面的靈不是從上帝來的，所以對一些聽不懂的話要很謹慎。我們應當口唱心和的讚美主。

第二、一個真正信主的人會常常感謝天父，凡事奉主耶穌基督的名常常感謝天父。他是一個充滿感恩的人，他會有感恩的表現，而不是單單的在言語上。感恩的表現就是他會做應該做的事情，表示他對上帝的感恩；凡事是在主耶穌基督的範圍裡做，不是自作主張。

第三、他會存敬畏基督的心彼此順服，不會變成一個野人，他會在耶穌基督的範圍裡面彼此順服。在家庭的關係中，丈夫愛妻子就會順服妻子，妻子順服丈夫也就表達了她的愛。夫妻彼此敬重。父母兒女之間，作兒女的要在主裡聽從父母，在主耶穌的範圍裡面聽從父母、孝敬父母。父親不要惹兒女的氣，只照著主的教訓和警戒來養育他們。作僕人的是服事主人好像服事主一樣，作主人待僕人也是一樣，不要恐嚇他們，要好好的對待他。因爲主僕同有一位老闆，都在創造者之下。

我們行事爲人要常常帶著上帝的武器，才不會被魔鬼誘惑。上帝的武器能幫助我們勝過空中掌權管轄幽暗世界的惡魔，並且成就了這一切還可以站立得住。我們要用真理作腰帶束腰，用公義作保護心的鏡，用平安福音作我們走路的鞋子。我們必須要用真理，如果沒有真理的話，我們就不知道何去何從了。公義是上帝的義、上帝的標準，不要違反上帝的標準。平安福音作鞋子，我們到的地方都帶著上帝平安的福音去。用我們的信心作盾牌，滅絕惡者一切的火箭。我們的信心擋住魔鬼的誘惑，因爲我們信得過創造者。祂是創造者，祂又愛我們，祂是全能又是全愛，所以我們信靠祂，我們相信祂所講的話，就不被魔鬼所害。

戴上救恩的頭盔，表示我已經得救了。別人告訴我要怎麼樣才可以得救，不要聽從他，要單單聽從聖經所講的。承認耶穌基督是你的老闆，你口裡承認，你的生活遵從祂，你心裡信上帝叫祂從死裡復活，你相信祂是宇宙的創造者、生命的源頭，勝過死亡的，你就必得救。別人告訴你要哭上三天三夜，或是要有什麼現象才是得救，你絕不要聽他。你已經得了救恩，就不要再聽別人亂講的話了。

在耶穌基督已經成就的救恩之上，再加上任何東西，都不是福音，是加拉太書裡面所提的另外一個福音。在耶穌基督所做的事情上面，不能加上什麼，那等於不信祂。「但如今在這末世顯現一次，把自己獻為祭，好除掉罪……像這樣，基督既然一次被獻，擔當了多人的罪。」「我們憑這旨意，靠耶穌基督只一次獻上他的身體，就得以成聖。」（希伯來書九、十章）耶穌已經成就了救恩，不要再讓別人來攪擾你。

加拉太書一章 6-9 節：「我希奇你們這麼快離開那藉著基督之恩召你們的，去從別的福音。那並不是福音，不過有些人攪擾你們，要把基督的福音更改了。但無論是我們，是天上來的使者，若傳福音給你們，與我們所傳給你們的不同，他就應當被咒詛。我們已經說了，現在又說，若有人傳福音給你們，與你們所領受的不同，他就應當被咒詛。」這是非常嚴重的，所以你要清楚明白聖經的教導。

我們因信接受耶穌已完成的救恩，就得到這個救恩；因爲救恩是恩典，白白得來的，不是我可以加上什麼。我不能再加上什麼，因爲上帝的救恩是完全、完成了。耶穌基督在十字架上說「成了」，所以已經完成不能再加上什麼，如果有人告訴你還要加上什麼，你就知道那是錯誤的。

讀聖經是多麼重要的一件事，請你從今天開始，每天自己用功的讀聖經，同時也幫助你的孩子用功讀聖經。全家人每天再抽出一段時間，趁著家人還在一起的時候一起讀聖經，讓孩子知道你們是全家在學習上帝的真理，全家都在進步。如此，他就很容易可以不受這些誘惑、試探，就如問題中所提的色情他也不會去看，當電視有色情的成份一出來他就會關掉。他不會去接受奇奇怪怪、靈界的影響，或是異端邪說。有一些基督徒還以爲可以接納坐禪、氣功這些東西，但是當你用聖經一對照的時候，你就發現聖經沒有這樣講，我們只可以晝夜思想上帝的話。毒品是傷害身體的，你的孩子知道他的身體是聖靈所居住的殿，他也就不會把身體弄髒。毒品也使人不能控制自己的思想，魔鬼就趁虛而入。

更重要的，希望你從孩子小的時候就帶他們接受耶穌基督，作他們個人的救主，這樣子他們就有耶穌基督每時每刻管理他們、幫助他們、保護他們。

學校、生活

●在台北有開放的國小，是在家裡自學教育的。妳的看法如何？

我不知道是怎麼樣的做法。如果從字面上來看，在家自學教育一點也沒有什麼不好。它的問題是，在家能不能自學？家裡有誰在那裡可以幫助他？如果在家裡有一個成熟的大人在幫助他的話，幫助他建立學習的習慣，幫助他使用時間，他有問題的時候有人可以解答，當然是最好的辦法。就如我剛才所講的，我們老四有一年時間是由我們自己教。

如果家裡不是這樣教的話，也不是照著真理來教，那也不見得有什麼好。最重要的是，在家自學的時候，有誰在那裡幫助這位小孩子，很好的利用時間，可以發現他的天份，用他的天份去服事人。

●怎麼樣肯定妳的孩子可以升級，而不會影響他的學業？

這個問題代表一般人的誤會，就是把升級與學習程度分開。很多人以爲讀大學，就要像一般大學生，上一堂課就需要用三個鐘頭來做功課，小孩子怎麼受得了這種的作法。問題中提到升級會不會影響他的學業，問的人是不是以爲升級與學業是有衝突的？事實上，這兩樣事情必須放在一起來看，你是幫助他找一個比較適合他的學習環境，讓他來進行學業的學習。比如他的學業程度應該是六年級，雖然他只有八歲，把他放在六年級的班對他來講才是正常；如果把他放在三年級的班，對他來講是不正常了。

怎麼樣肯定呢？你要知道你孩子大約的程度。如果你孩子的程度比同年齡兒童高一、兩年的話，我建議你不用去跳班。如果是高了四、五、六年的話，我倒是贊成你找一個比較適合他程度的環境，不一定要在學校，在家裡也可以。如果他的程度高差不多兩班的話，把他安排在同一個班上，他會覺得很開心，因爲他讀起來很快、很容易。如果你把他升高一班，他的程度降至平均，加上他年齡比人家小，這樣對他似乎不是一件好的事情。他年齡比人家小，寫字比人家慢，可能會造成他心理上的障礙。除非程度是高了很多，不然就不必跳級。最好、最理想的當然是照著每個人的程度來分組。

●妳家的孩子學業成績十分優秀，請問妳是不是提供任何課外教材來輔導？他們是不是願意去做？

我們有一個錯誤的觀點，以爲加了一些教材給孩子去做，他們就會馬上進步了。

事實上，學習不一定要有教材，最主要就是人。你與你的孩子談話，與他們玩，讓他們有興趣，在不知不覺之中學習到很多所謂課外的東西。我平常是與他們一起看花、草、樹木、雷電這些平常接觸的東西，然後很自然的談論到這些東西，一方面把他們的思想帶到創造者那裡，因爲這些都是創造者所造的，另外一方面，可以幫助他們學習各種我們稱爲「科學」的事物。他們是不是願意去做？如果有興趣的話，他們當然願意去做。這個要看你，是不是可以把學習過程弄成很有興趣。希望各位要思考，讓孩子在遊戲中學習，而不是在一個被動、被強迫的情況。

●有一些疾病或是遭遇，是因爲罪入了世界，這些也是用接納的態度去面對嗎？可能這是在人還沒有信主之前所導致的。

比如說性病，還沒有信耶穌基督之前，他不曉得姦淫是錯誤的，所以他可能就有一些姦淫的行爲，他的行爲就帶進這個性病。問題是，我們也是用接納的態度去面對嗎？接納是接納什麼呢？我們不是接納錯的東西，我們接納的是這個人，不是接納他所做錯的事。我們不是告訴他說：「無所謂啦！姦淫也是對的，你現在有這個性病，我們都可以接納你。」我們接納這個病人，但是我們並不接納他犯的錯。他現在有病需要幫助，我們就幫助他，我們是接納他這個人，不是接納他犯的罪。

疾病或遭遇是因爲罪入了這個世界，這句話其實可以講得更廣泛一些。雖然所有的疾病都是因爲罪進入世界，死亡也是因爲罪進入世界。但是，今天一個人生病，不一定是因爲他現在特別犯了什麼罪。整個世界已經因爲罪的緣故而變得不理想了，人選擇不要創造者。亞當、夏娃，我們的老祖宗不要創造者。因此當然就有敗壞進來了，整個世界已經在敗壞之下。我們一定會生病，我們也一定會死，這是因爲全人類已經在敗壞的轄制之下。

如果現在有一個人患了癌症，我們不可以說一定是因爲他犯了什麼大罪，所以才有這個病。聖經並沒有這樣告訴我們，事實上耶穌基督在世上的時候，祂的門徒曾經問過祂這樣的事情。有一個人生來是瞎眼的，當然瞎眼是很不好的事情，這些門徒就問耶穌什麼呢？約翰福音第九章記載，門徒問耶穌說，老師，這個人生來是瞎眼的，是誰犯了罪？是這個人呢？是他父母呢？耶穌回答說，也不是這個人犯了罪，也不是他父母犯了罪，是要在他身上顯出神的作爲來。

我們去探望病人的時候，不要指責他一定是犯了什麼罪，所以才會有這個病。那是不一定的，可能是要顯出神的作爲來。但是，人類整體的病、整體的死亡，是因爲人類整體的不理想，整體的不要上帝，所以就帶進今天的死亡和災禍。

●我的三兒因爲唐氏綜合症，出生三天就去世，妳對此有何感想？我們是正常的人，其他三個兒女也是正常的。

依前一個問題來說，死亡是因爲罪帶進來，所以我們都在敗壞的轄制之下。人人都有一死，死後且有審判。

這個問題提及父母親都沒有唐氏症，其他三個兒女也沒有唐氏症，只有三兒因爲患有唐氏症而第三天就去世。死亡是因爲人不要上帝的生命而產生的。這個孩子出世三天就去世，他在上帝的眼中是怎麼樣的呢？上帝看他仍然是一個人，是一個完整的人，只是因爲罪的緣故身體不完美。羅馬書第八章告訴我們，我們現在的身體還沒有得贖。受造之物切切的盼望等候上帝的眾子顯出來，因爲受造之物服在虛空之下，不是自己願意的，乃是因爲那叫他如此的。但受造之物仍然指望脫離敗壞的轄制，得享神兒女自由的榮耀。

我們知道一切受造之物一同嘆息、勞苦，直到如今。不但如此，就是我們這有聖靈初結果子的，已經得救了有聖靈的，也是自己心裡嘆息，等候得著兒子的名份，乃是我們的身體得贖。這裡所講的意思是，就算是基督徒，我們的身體也還沒有得贖，要等到耶穌基督再來的時候，祂就給我們一個新的身體。這記載在哥林多前書第十五章，新的身體就不會壞、不會病、不會死了，因爲它是不朽壞的、是榮耀的。

這個孩子在世只有三天，他的身體是不完全的、是不理想的。但是，他在上帝眼中卻是一個完全的人。上帝是公義的，所以祂也一定給這個孩子有一個選擇的機會，如果孩子選擇了上帝，他也可以得到永恆不朽壞的生命。因此你們全家也要選擇有耶穌基督的生命，讓耶穌來管理你們的生命。當耶穌基督再來的時候，你們全家就到耶穌那裡去，這位在你家裡只有三天的孩子，如果他也選擇了耶穌基督的生命，同樣的他也會完美的在耶穌基督那裡。在天上的國度是完美的國度，所有的都是完美的，在那裡沒有不正常的事情。所以希望你們全家趕快請耶穌基督作你們的救主。

●妳的孩子去公立學校還是私立學校，還是在家自己教？妳怎麼樣可以讓他們這麼小的年齡就進大學？妳的四個子女是不是全部都進教會學校？他們小時候是妳自己帶還是進托兒所？幾歲才上學？有沒有提前教他們？我們應不應該送孩子到天主教學校？是不是要送孩子進入基督教學校讀書？妳想孩子在私立學校或是在公立學校會得到更好的教育呢？小孩子在這樣被保護的環境長大，以後能不能適合社會的環境呢？妳鼓勵在家裡 Home School 嗎？可否給有心要 Home School 的父母提供一些建議和原則？

這裡一大堆的問題都是同一類的問題。

公立學校和私立學校其實每一間都不同，公立學校也有相當不錯的，私立學校也有很不好的。要注意的是什麼呢？要注意的是你所找的學校，她教導的方向必須是對的，因爲方向是很重要的。

第一、這所學校必須要教導你的孩子，他是從何而來。如果她把你的孩子的來源教錯，那麼你的孩子就沒有辦法站立得穩，這樣對你的孩子就不好了。你的孩子爲什麼可以尊重自己？爲什麼可以自愛？爲什麼可以尊重其他的人，其他的人也可以尊重他？這些都是因爲創造者在造人的時候，祂是照著自己的形象樣式造人。所以，這所學校必須要幫助你的孩子建立健康的自我形象。

第二、人的問題是因爲自做主張。這所學校必須幫助你的孩子跟從宇宙的創造者，而不是跟從人。老師不可以自做主張，他們不可以自己規定處分，「你做錯一條就打一下，做錯兩條就打兩下」，因爲聖經沒有這樣的教導。所以在學習的過程之中，他們應用愛來培育你的孩子。

第三、我們的孩子必須知道，宇宙的創造者是我們得到能力和生命的源頭。不是信宗教、不是形式，乃是他自己跟耶穌基督建立個人的關係，耶穌基督住在他的心中。不是因爲去參加了某個儀式，吃了一個餅，耶穌就進來。而是他要自己告訴耶穌，我要祢住在我心中，管理我的一生，耶穌就會住在他的心中，因爲這是聖經的應許。啓示錄三章 20 節：「看哪！我站在門外叩門，若有聽見我聲音就開門的，我要進到他那裡去，我與他，他與我一同坐席。」這是很値得高興的事情，所以他必須要請耶穌基督住在他的心中。

至於是否可以送孩子到天主教學校這個問題，我們必須清楚知道，天主教學校會不會幫助我們的孩子建立一個正確對聖經的看法。如果你的孩子受了錯誤的影響，以爲他可以向人禱告、向人祈求，那我們就必須注意了。我們可以禱告的對象只有創造者，而不是被造的人。有一些人有很好的榜樣，我們也很尊重他們，但是卻不能敬拜他。我們唯一敬拜的對象只有宇宙的創造者，這位降世爲人的耶穌基督，祂是我們唯一的救主，我們可以直接跟祂講話。耶穌基督在世上被釘在十字架上的時候，聖殿裡的幔子從上到下裂開了，這裡代表祂開了一條又新又活的路，叫我們可以直接到上帝面前。聖經是上帝的話，是我們人生唯一的標準。無論是人或是機構，或是傳統，或是組織，都不是權威。請你細讀聖經，就知道這學校有否教錯。

第四、另外要注意的是，這所學校有沒有幫助你的孩子作一個忠心的人。上帝給我們的才幹，是要我們盡上本份，不是跟別人比較，而是跟自己比較。自己有沒有作忠心的人，是不是良善，做上帝認爲好的事情。例如，你跟你同學的關係是美好的關係，彼此尊重的關係，幫助同學的關係，這在上帝看來都是好的。如果在考試的時候偷看，這在上帝看來就是不好的了，因爲這是不誠實。所以學校要灌輸給孩子良善與忠心的思想。

你說，我找不到這種學校，我可以自己教嗎？你住的地方如果容許家長自己教，就如以前我住的地方，家長只須要有一年的大學教育，就可以自己在家裡教。你自己也必須是照著同樣的原則來教你的孩子，在上帝面前求祂的旨意，請祂來告訴你該怎麼做，我不能替你做任何的決定。很多人的問題都希望找人替他做決定，但這是不可以的。你要自己尋求上帝給你的回答，我不能替你負責任，也不能替你做決定。有了上帝給我們的原則，我們就可以用祂的原則來帶領我們的孩子。

希望這樣的解答可以給各位一些的幫助，至於這一方面的選擇，就看你自己了。你適合教導你自己的孩子嗎？如果你是自己教孩子的話，我擔保你會節省很多的時間。在學校裡因爲學生很多，很多時間是浪費的，是在等候的。所以我們老四有一年，我在家自己教他的時候，我們用的時間非常的少，只有學校時間的三份之一。願上帝祝福你，給你聰明智慧，知道如何使用上帝的話來引導他。

●在台灣九歲時就考進大學，可能嗎？是不是一定要送到外國去呢？

不一定。事實上，這麼小的孩子不要讓他離開家。人是整體的，你不能只注重某一方面，而忽略了其他的方面，不然這個孩子就不健康了。所以，這麼小的孩子要把他留在身旁，用上帝的話教導他，每天跟他一起讀聖經，與他一起學習。

如果真的是不得已，要送去另外一個地方才能給他適當的教育，那麼你們家就要搬去那地方。小孩的身、心、靈都要一起平衡的成長。一般孩子十七、十八歲之前，應在父母的看顧之下。父母先將上帝的話記在心裡，隨時隨地的教訓子女，父母不但要談論上帝的話，也要照著祂的話行事爲人。幫助兒女建立個人靈修的習慣，讓上帝的話充滿頭腦。幫助兒女建立遵行上帝話語的習慣，以致在孩子離家之前，思想言行都是遵從聖經，活在耶穌基督的愛中。

親愛的父母親，我們能夠影響兒女的時間有限，要完成的任務重大。不要遲延，不要浪費時間。

「你要盡心、盡性、盡意，愛主你的上帝。這是誡命中的第一，且是最大的。其次也相倣，就是要愛人如己。這兩條誡命，是律法和先知一切的總綱。」一耶穌（馬太福音二十二章）

●我帶領了一位肺癌患者信主。他的癌已經擴散到腎、淋巴腺，妻子也有腎病，一個禮拜要洗腎三次，六歲的孩子的生活也有問題。這個病危的弟兄，雖然已經信了耶穌，他還是非常沮喪，很想自殺，因爲他什麼地方都痛。他的信心開始動搖了，我們可以做什麼？我們跟他全家一起牽著手，懇切的求主憐憫、施恩，雖然我們認罪禱告了，他還是病。怎麼辦？

整體來說，人有病痛是因爲人不要生命的源頭，整個宇宙都是在敗壞之下，這是創世記第三章告訴我們的。某一個人的病，卻不一定是他特別犯了什麼罪而造成的。

在這個情況之下，弟兄姐妹應該在生活上幫助這個家庭，也在精神上支持這個家庭。最重要的，他們有了耶穌的生命，他們已經知道怎麼樣去永恆的家鄉了。要幫助他不要殺人，自殺也是殺人。上帝既然叫我們不要殺人，就算在病中，祂看我們的生命也是非常重要的。我們要求上帝減少他的痛苦，有適當的醫藥的話，也用醫藥來減少他的痛苦。弟兄姐妹應當支持這個家庭，無論是生活、金錢、精神或靈裡的需要。照著聖經所講的真理告訴他，上帝知道你的痛苦，聖經應許說上帝用一個袋子把他的眼淚裝起來。在上帝的眼中，「祂看聖民的死是非常寶貴的」，而且祂也應許說，「義人的死亡是減去很多的災禍。」所以應當知道上帝是爲著我們最好的來安排。把妻子、孩子交在上帝的手中，祂會照顧。

我們有一位姐妹，在丈夫突然中風，快要過世的時候，孩子只有十多歲，還沒有成人。就在那個危險的時刻，她告訴孩子說，不要怕，天父會照顧我們！今天，兩個孩子都長大成人，讀了博士學位，也熱心的愛主，都在教會裡面服事，他們的人生可以說是美好的。我們怎麼知道，爸爸如果多活十年，對孩子會不會有任何好處？聖經裡面有一個例子，西希家向上帝強求，多活了十五年，但是在這十五年當中，他所做的卻帶來很多的後悔。長命不一定是件好事，最重要的是上帝的旨意，祂說我們功課已經做完了，就把我們收回去，到樂園那裡。留下的家人怎麼辦呢？聖經說：「我從前年幼，現在年老，卻未見過義人被棄，也未見過他的後裔討飯。他終日恩待人，借給人，他的後裔也蒙福。」（詩篇三十七篇）這是聖經的應許，我們可以信得過上帝。

●我的基督徒朋友生病的時候，他不吃藥也不動手術，只靠禱告求神醫治。許多基督徒也作過見證說，上帝醫治他們的病。我們應該怎麼樣看呢？

是的，上帝可以醫治病。祂是造人身體的，這個機器的任何問題，祂當然可以修理；但是，在某人的病痛上，上帝有沒有應許說，你不要吃藥，不要看醫生，我要醫治你？如果上帝有應許，我們就相信上帝的話，你就不要做其他的事了；如果上帝沒有應許，我們便是在試探上帝了。當你去看一個病人的時候，可能你可以把你的見證分享給他聽，我倚靠上帝、禱告了，上帝就醫好我的病。這是你的經驗，而你的經驗不是真理；上帝那一次這樣做，是有祂自己的智慧，而祂的智慧比我們高。我們不可以把我的經驗當做真理！真理是信上帝的話，不是信自己，不是信我的感覺，不是我強迫我自己信，這是從創世記一直下來的真理。

亞伯拉罕信神，上帝就以此為他的義；上帝講的話，亞伯拉罕沒有疑問，他接受了，就相信了。你看聖經上所記載的歷史都是同樣的，信不是自己陶醉，而是信上帝的話。我們可以信上帝的話，因為祂是全能的創造者，在他凡事都能做；也因爲祂愛我，只會把最好的給我。祂是信實的，祂一定照祂的話實行。祂爲我所定的計劃一定是最美好的，所以我可以信得過祂的話。醫治疾病，確是天父做的，但是祂要通過什麼渠道來醫治，則是祂的揀選。祂一般的旨意是要我們使用祂給人的智慧和藥物。除非祂有特別告訴我們祂要用不尋常的方法醫治，要不然我們不要試探祂，乃要用尋常的方法。

●我是喜歡看書、用功讀書，小學、中學都成績很好，爲什麼到了大學，雖然付出了很多的努力，成績還只是平平呢？怎麼樣處理挫折、失敗、不平衡的感覺？

很多孩子在小學、中學的時候可以用功的讀，所以可以有很好的成績。到了大學以後，可能那個程度是超過他的能力，雖然他努力的讀，但是成績就沒有以前那麼好。還有一樣，小學、中學的目的是讓一般人去就讀，大學就不是這樣了，她所收的學生可能都是成績最好的中學畢業生。如果你在中學，你是最高分數的那幾位之一；到了大學，與同學的差距就不會很大，比較之下可能你會覺得你的成績平平。現在的世界都是用比較的方式給你成績，但是上帝卻不是用這個方法。

上帝的標準是忠心、良善。只要你盡你的本份，做了你應該做的事情，照著上帝的標準，你不去偷看人家的東西，不去抄人家的東西，作一個誠實的孩子，在上帝看來你是成功的。老師給的分數不是最重要的，上帝給你的才是最重要。當你從這個角度看，你的挫折感就不見了，因爲你只需要向上帝負責任。「上帝，我做祢說好的事情，我盡了本份，盡量做功課，也盡量尋找老師、父母、或是同學來幫忙！」你已經盡了所能的做，你就是一個盡忠的孩子。

●怎麼樣與異性做好朋友？我不想談戀愛，又怕對方的想法不跟自己一樣？

男的朋友、女的朋友都可以有，但是在異性的交往上要有一個界限，因爲男女之間很容易會發生超過友誼的感情，最好的方法是不要讓對方誤會。謹慎你的談話態度、眼神的表達，可以讓對方不會以爲你想跟他談戀愛，這樣就可以保持在朋友的程度上。不過，這並不容易，因爲真正談得來的好朋友，自然就希望一生都可以在一起。

如果這位異性的朋友實在是很好的朋友，是照著耶穌基督的原則，一方面尊重你，又尊重每一個人，愛每一個人，又照著愛的原則不做害羞的事、不生氣，也是溫柔的人，像耶穌基督心裡柔和謙卑；如果感情又發展至談戀愛的程度，你們兩人又都是單身的話，那也沒有什麼不好，不過只是要防止感情比你的理性走得快。聖經的原則是：由靈，而魂，而體。先要靈命彼此相配，都以耶穌基督的心爲心，追求像耶穌。再考慮背景、才幹、個性等是否相配。最後才考慮身體是否相配，「我終身的事在祢手中」，將你的終身大事交在天父手中吧！

●怎麼樣幫助喜歡看色情圖片的少年或成人？是不是有邪靈的工作？

所有的錯誤都是魔鬼引誘我們，但是你不要把所有責任推給魔鬼。聖經怎麼樣告訴我們呢？「但各人被試探，乃是被自己的私慾牽引誘惑的。私慾既懷了胎，就生出罪來，罪既長成，就生出死來。」（雅各書一章 14-15 節）魔鬼可以利用各樣的私慾來誘惑、試探我們，如果我們被自己的私慾來牽引誘惑的話，我們會上當的。私慾或是慾望，本身並沒有錯。就如人有食慾，食慾本身是中性的，不是惡的。但當人要用自己的辦法（不用上帝的辦法）來滿足這食慾，那就生出罪來。比如：偷東西來吃。

已經上了當的人，無論是毒癮，無論是賭博，無論是色情的東西，他們都需要上帝給他們力量來戒掉。如果這人肯要上帝給的力量，這個人可以說，「耶穌基督，對不起，我錯了，我承認祢造我，爲我死而復活。我沒辦法了，我要祢給我力量，我要戒掉這些不好的習慣，求祢來幫助我！」然後他就要劃清界限，把所有與這些不好習慣有關的東西全部都除掉，書本、圖畫、朋友都全部要除掉，不要再碰了，重新建立新的習慣。以後還是要小心，因爲魔鬼還是會利用他的私慾來誘惑他，但是他可以奉耶穌基督的名把這種誘惑的思想除去。如果他有耶穌的生命，耶穌就給他這個權柄，他可以奉耶穌基督的名把魔鬼給他的誘惑趕走。

●他單獨的時候不喜歡喝酒，跟朋友相聚時就常喝無量，以致影響工作。問題何在？怎麼樣了解、幫助他呢？

問題可能是他與朋友在一起時，要迎合朋友而喝。他對自己並沒有清楚的認識，不知道自己的價值，不知道自己的尊嚴，不知道上帝看重他，也不認識上帝而自做主張。與朋友在一起的時候，他以爲他這樣做，朋友就喜歡他。

解決的方法是，在耶穌基督裡得到力量。他跟朋友在一起的時候，可以決定說「我現在不再喝酒了，如果你們喜歡我與你們在一起，就不可要我喝酒。」他做了這個決定，不再接受被誘惑，一而再，再而三的堅持下去。如果必要，也可以不再與這些酒肉朋友在一起。

你要與他談，幫助他了解他的價值，幫助他了解魔鬼會利用他的私慾來誘惑他。如果他肯聽，你帶領他邀請耶穌基督作他的救主，管理他一生的每一件事情，包括喝酒的事情。

●有一位好賭的媽媽，快七十歲了，我該怎麼樣幫助她？

這個媽媽喜歡賭，這也是一種的習慣。她可能想，「已經七十歲了，啊呀！無聊啦」，所以去賭錢。如果她玩一些跟錢沒有關係的東西，那不大重要，重要的是時間上的控制。如果她賭是為了貪心，這就變成另外一個錯了 — 貪心。你要解釋給她聽，第十條誡命說，不可以貪心。

她是不是已經有了耶穌的生命？如果沒有的話，你要趕快帶她信耶穌！你告訴她，妳要真正的平安嗎？只有耶穌可以給妳真正的平安。妳要到樂園去嗎？只有耶穌可以給妳生命。祂是生命的創造者，創造宇宙，是我們最後的審判者；祂說及格時，妳就及格了。祂給我們及格的方法非常容易，只要妳說，「耶穌基督我要祢，祢住在我心中，赦免我過去自做主張所做的錯誤。我承認耶穌為我死，又從死裡復活，祢是我的創造者，從今之後，我要聽祢的話。」你簡單的帶她禱告，相信主耶穌作她個人的救主和人生的主人。

如果她不是賭錢，只是玩玩而已，那是可以的，只是不要浪費時間。她的時間可以更有用，用在有益的事上，如讀聖經（或聽）、禱告、背金句、關懷人等。有的老人家不喜歡看書，因為眼睛疲倦，可以買聖經的錄音帶給他聽。

●耶穌十歲的時候還沒有電子遊戲機，妳怎麼樣知道耶穌小時候會不會玩電子遊戲呢？

問題問得真好！耶穌當時並沒有太多我們現在玩的東西，但是原則不因時代而改變，因爲是真理。「凡事都可行，但不都有益處。」凡是叫我跟上帝的關係疏遠的我都不做，那是沒有益處的，浪費我的時間，叫我沒有時間跟上帝在一起，讀祂的話，與祂講話。那些會轄制我，使我有非玩電子遊戲不可的習慣的，聖經說，不能讓任何一樣東西來轄制我，所以可以轄制我的事情全部都是錯誤的，可以上癮的事情都是錯的。生命是上帝所賜的，將來有一天我們要面對上帝的審判，我怎麼樣用祂給我的時間？在祂給我的生命中，我建立了多少是有永恆價値的？這些都是你教孩子或是教自己的方向。

●在美國，怎樣與學校的老師溝通？

每一個學校的情況不同，每一位老師的情況也不同。與老師溝通有一個很重要的原則，你要溫柔謙卑（其實每一個基督徒都應該是像耶穌基督一樣的心裡柔和謙卑）。你用這個態度去與老師接觸，你的目的應該是：希望老師可以幫助你，讓你怎麼樣來幫助你的孩子；而不是要老師爲你做什麼。

如果用謙卑柔和的態度，你可以與老師做深入的溝通；比如你的孩子在課室上太悶了，你希望老師安排他做一些比較深的功課，或是讓他自己讀一些書。如果你是存著柔和謙卑的心，你讓老師知道你是想得到他的意見和建議，你這個態度可以讓老師更容易接納你的建議。你這樣與老師溝通，多數的老師都會接納。

當然，你也可以選擇老師。有一些老師會比較固執，難以接受你的意見或看法。可能在同一級的課程中有好幾班，你可以試試看打聽一下其他的老師是怎麼樣，你再選擇適合的老師。每一個學校裡面都有一些很好的老師，他們關懷孩子，盡可能用最好的辦法來教孩子。你可以嘗試與老師溝通一下，如果你的英語不夠好的話，你可以請教會裡一些語文能力強又比較了解美國教育系統的弟兄姐妹來幫助你。我曾在一些學校裡面幫助一些父母親，來與老師對話，有時候是因爲孩子與老師之間有誤會，我們可以很溫柔、客氣的來跟老師了解。

●妳孩子是特別的孩子，這麼小就上大學，他們日常生活上怎麼樣跟一般大學生相處？怎麼樣跟其他人做朋友？

●怎麼樣在合宜的地方表現自己的不同？在不同的場合、職務上，怎麼樣合宜的表現自己？怎麼樣表達自己？

●怎麼樣教導妳孩子的自主性，建立有規律的生活、日常的生活和功課生活？怎麼樣平衡孩子的課業和課外的生活？

我們的孩子就如每一個孩子一樣，都是特別的孩子。你還記得嗎？上帝的創造是特別的，所以每一個孩子都是特別的；無論他幾歲上大學，他還是特別的。我們的老大十歲上大學，但是他還是一位十歲的孩子，我們還是要看著他、照顧他，只是他的數學不需要我的照顧，他可以自己做了。

你的孩子有不同的發展速度，不同方面成長的速度。認識你的孩子（這是我們所講的第一點），然後照著上帝的辦法來教他。他生來是怎麼樣的，你就以他讀書的方法來讓他讀書。如果他讀得很快，很快就到大學的程度，你就讓他讀大學，這並沒有什麼不好。

十歲的孩子應不應該離開家庭？當然不應該了！你不要讓他獨自去學校住，有一些少年班就是不了解這一點。十二、三歲的孩子離開家庭，自己到外面去住，就離開了父母親的保護和父母親的教導，是太早了！如果你的孩子還不能獨立的話，就不要讓他獨立了。

關於朋友交往方面，如果你教導你的孩子從小就知道上帝給他百般的才能，就如彼得前書四章所說，他會照所得的恩賜服事人，作神百般恩賜的好管家。他把他的才能，比人家快的地方，拿來幫助人家，又把他需要人家幫忙的，拿去請教人家，這樣就沒有多大的問題了，他還是可以有很多不同年齡的朋友。事實上，我們也有不同年齡的朋友。在他們小時候，也不要讓他們有一個錯誤的觀念，就是只有同年齡的人才可以做朋友，他們應該可以和不同年齡的人都做朋友，就如我老大說，與兩歲的孩子，他就與他玩孩子有興趣的東西；與四十歲的人，他就與他談四十歲的人有興趣的題目。

在不同的場合和職務上怎麼樣表現自己？表現自己的意思是什麼呢？不是驕傲的意思，而是照著上帝給你的，在謙卑、溫柔的情況之下，使用你的恩賜服事人，這就是你表現自己的方式了。

自主性是什麼呢？如果一個孩子成熟了，他應該知道上帝的話是什麼，可以照著上帝的對與錯來處理自己的思想，可以控制自己的情緒，不會隨便罵人發脾氣，知道怎麼樣來表達愛，知道怎麼樣尊重長輩、孝敬父母，知道怎麼樣處理自己的事情，照顧自己、照顧別人，在生活、感情、思想上可以自主，可以自己料理自己，那麼他就自主了。怎麼教呢？

每天與孩子讀聖經，就是在教導他怎麼樣可以自主，怎麼樣可以自己做對的決定。在每天的生活上，你與他在一起，就是在教他了，我們待人接物要怎麼樣做。這些都是你在教他的過程，照著上帝的原則來教他。

要有規律的生活嗎？在社會上，爲了尊重其他的人，所以定下一些時間上班下班、上課下課。要不然，我們就沒有辦法尊重其他的人了，由於每一個人的時間都不同，怎麼可以彼此幫助呢？應該幫助我們的孩子有某種程度的規律，但是不一定要強迫他們跟著你的規律，因爲有些人晚上比較有效率，另一些則早上比較有效率。我們可以彼此的包容，也要有一些時間是規定下來，比如我們要九點半作禮拜，起得遲的人必須在前兩晚早一點睡覺，他就可以在禮拜天早起。

課外的活動和課業都是重要的，應有適當的時間安排。不要因爲人家學什麼，我的孩子也必須學什麼，你要看上帝給他的才能是什麼，安排的學習和活動要照著他有的，而不是他沒有的。這一方面也要照著創造的真理。孩子需要有些空閒的時間，讓他「做夢」，思想自由發揮。所以不要安排過多的課外活動。

●關於健康的飲食，怎麼樣照著聖經的教導？比如避免農藥的毒害、肉類的抗生素、成長激素等等。

上帝所造的環境本來是最好的，所以我們要保護我們的環境。有一些農藥的發明，不但是把那些害蟲殺死，還會危害人類；這些科學的研究其實應該是往我們要保持原來最好的環境這方面來研究。如果我們的方向對的話，就不會被進化論影響。進化論說，在某種的情況之下，生物會進化成適合那個環境的。如果照著進化論，我們就不需要環保了，但是事實上並不是這樣。聖經告訴我們說，我們要治理我們的地，才有健康的飲食。

舊約的一些潔淨的禮，我們現在不需要遵守，因爲耶穌基督已經潔淨我們。對這些可以吃的或不可以吃的，現在也沒有硬性的規定，除非是在使徒行傳裡門徒開會決定的範圍。他們對外邦的基督徒只有定下幾樣，「就是禁戒祭偶像的東西和血並勒死的牲畜和姦淫」。耶穌基督已經爲我們成爲祭物，已經除去所有的污穢，所以舊約的潔淨禮不需要被執行，不過這幾樣祭偶像的東西、血、勒死的牲畜和姦淫還是被提出來，這是上帝說不可以做的，現在也當如此。

有一次有人請我吃飯，我看見湯裡面有些東西，看起來好像是肝而又不像肝。我很好奇的問了，才知道原來那是血塊。我們家裡照著聖經所講的沒有吃血，所以我從來不知道血是什麼樣子的。這位請我吃飯的基督徒大概沒有讀過這段的聖經，或是他是受社會的影響，不覺得這是上帝禁戒我們吃的東西。我們讀了聖經就知道了，在舊約裡面有一些可以吃，也有一些是不可以吃的東西。一方面是爲了潔淨的禮，分別出來的，另外一方面上帝的話總讓我們有多方面的好處。

如果我們照著舊約所講的來吃，我相信對我們的身體是最健康的。比如舊約說不要吃動物的脂油，全部要燒掉獻給上帝，到今天我們才知道動物的油對我們的健康不好。但卻沒有說魚油不要吃，我們發現現在的科學告訴我們魚的油對我們是健康的。蝦、螃蟹這些聖經舊約說不要吃的東西，今天我們發現對我們並不是最健康的，所以少吃當然是好的。關於蔬菜、水果，我們被造的時候，我們身體原有的設計是要我們吃蔬菜、水果，今天的科學也告訴我們，蔬菜、水果對我們是最健康的。

讓孩子從小的時候就了解，應多吃蔬菜、多吃水果，把它弄得好吃，並且幫助他們知道這些是上帝原來給我們吃的，這樣你就會幫助孩子有健康的飲食習慣了。比如舊約說不要吃豬肉，今天雖然可以吃，但是豬肉的品質沒有牛肉、羊肉那麼好。如果我們支取上帝的智慧，對我們的健康當然就有用了。比如我很久以前就開始用橄欖油，雖然那個時候的科學家還沒有告訴我們橄欖油有什麼好處，我只是想，既然耶穌基督是用橄欖油的，祂用的當然一定沒有什麼不好的，舊約裡也多處出現橄欖油的應用。新近的科學才發現，橄欖油對我們是很好的，這些都是神在日常生活給我們智慧的例子。

●是不是每一個人都可以在讀書上讀得很好呢？

不一定！上帝給我們的才幹不同。這個問題應用上帝創造的事實來解答。我們照著他被造的時候是怎麼樣的來栽培他，他的評價應由上帝 — 我們的審判者斷定，而祂審判的原則是用良善和忠心，成功應該是以這個角度來解釋的。

●怎麼樣幫助他們在音樂方面的選擇？如何讓他們喜歡古典音樂、古典文學？怎麼樣影響他們？

你可以影響他們，然後向他們分析。不一定是古典的東西就好。古典的定義是以往的一段時期裡多數人接受的東西。有人以為古典就是古古板板，這也不一定是對的。當然，現在的社會越來越糟糕，現在的音樂、藝術都是越來越可怕的，都是越來越離開上帝標準，但是現在還有一些好東西啊，所以我們應該把每一件事物拿來與上帝的標準對照，而十條誡命是我們最起碼的對照標準。讓我們用上帝的標準來對照，不合上帝標準的，我們就幫助孩子了解，上帝不是這樣講的，我們就不要這樣做了。

●怎麼樣幫助孩子找到他的屬靈恩賜？什麼是屬靈恩賜？

我們所有的恩賜都是上帝給的，當你把上帝給你的恩賜用在上帝叫你用的地方，就是屬靈的恩賜了。不需要企圖去分開，什麼是屬世，什麼是屬靈。如果一個人是聖潔的，他所有都是屬靈的。就如舊約所說的，壇是聖潔的，放在上面的東西就是聖潔的。當我們幫助孩子成爲一個聖潔的人，他所做的一切都是聖潔的，不需要分一半聖潔、一半屬世的。如果人本身不是歸耶和華爲聖，不是從世界出來，分別爲聖的話，他所做的也不聖潔，就像不潔淨的人碰到的東西都成爲不潔淨。這告訴我們上帝是多麼聖潔，一點污穢也不能在祂那裡存留。像煉金之人，燒盡雜質。幫助孩子將他的一生交給上帝管理，這樣，他全部恩賜都是屬靈的。「**將身體獻上，當作活祭，是聖潔的，是上帝所喜悅的。你們如此事奉，乃是理所當然的（這就是屬靈的敬拜）。**」（羅馬書十二章）

一個跟從耶穌基督的人不應該是有屬世和屬靈的分別，他的所有應該都是屬靈的，他是一位二十四小時的基督徒。比如他現在是工程師，他在計劃與設計機器的時候，也是在做屬靈的工作。他在工作的時候，他要照著屬靈的原則來做。比如我們在上班，聖經給我們的原則是我們是服事主，不是服事人。你是老闆嗎？聖經給我們的原則是你要照顧你雇用的人，不要欺負他，爲他們的好處著想，因爲我們有同樣的一位主。比如你現在正在打掃，你是爲著上帝來打掃，人家沒看見的時候，你也同樣的打掃的那麼乾淨。

孩子屬靈的恩賜就是上帝給他的恩賜。他會講話嗎？他可以告訴上帝，我把我的嘴、語言天份交給祢，祢要怎麼用就怎麼用。他會打球嗎？他告訴上帝，我把打球的天份交給祢，祢要怎麼用就怎麼用。我在與別人打球的時候，我也是屬於祢的；我打球的時候有禮貌，不會因爲要打贏所以就不擇手段；我不會罵其他人，輸了也不會生氣，因爲我是在服事祢。每一個恩賜都可以是屬靈的恩賜，當我們的孩子把所有的奉獻回給上帝的時候，就是上帝要我怎麼用我就怎麼用，那就是屬靈的恩賜了。

跋

我真希望這些問題解答能真正的帶給你們真理，這個真理非常簡單，我們再溫習一次。

認識孩子：創造的事實

創造者怎樣造一個人，我們要尊重他，不要勉強他去做不是他應做的事情。尊重窮人、孤兒、寡婦、寄居的，他們都是照著上帝的形象被造的。我們的外貌、才能，身體上所有的都是上帝造的，上帝給我們的都是最好的。祂造我是中國人，當然那是最好的。所以，不需要去模仿其他人，不需要把頭髮染成另一個顏色。上帝造的當然對你是最好的，接納自己就可以接納別人。所以當我們與神和好的時候，才能與自己和好，才能與人和好，這是創造的真理。

問題的原由：罪惡的事實

什麼是錯、什麼是對呢？自作主張就達不到理想，因爲我的智慧沒有創造者那麼高，我用自己來做決定一定會錯，一定不理想。罪的定義就是「達不到理想」。所以立法者是我的創造者，讓我讀熟祂的書、祂的手冊，遵從祂一切的話。不要對祂說，這太難了我做不來。祂所告訴我們的是要我們去做、去遵守。申命記二十九章 29 節：「隱密的事，是屬耶和華我們神的；唯有明顯的事，是永遠屬我們和我們子孫的，好叫我們遵行這律法上的一切話。」很明顯的，上帝講清楚的是屬我們和我們的子孫，是要我們遵行這律法上的一切話。所以，我們做不到的上帝是不會告訴我們的，聖經裡面明顯的事情，都是上帝要我們去做的。將聖經的真理解釋給孩子聽，因爲上帝是愛，所以教導孩子的方法是用愛來教導。真正支取力量的源頭是從宇宙的創造者耶穌基督，祂給我們有力量，勝過魔鬼的詭計，勝過我們自己。就如保羅所說，「我真是苦啊，誰能救我脫離這取死的身體呢？」但是他跟著立刻說，「感謝主，感謝神，靠著耶穌基督。」是的，上帝給我們的話語不是難做到的，都是我們能力範圍以內的事情，因爲祂是愛我們。所以祂告訴我們的十條誡命，從小就要給小孩子學會背了，上帝告訴我們的是要我們得到福氣。

愛的教育：救贖的眞理

申命記六章 1-9 節：「這是耶和華你們神所吩咐教訓你們的誡命、律例、典章，使你們在所要過去得為業的地上遵行，好叫你和你子子孫孫，一生敬畏耶和華你的神，謹守他的一切律例、誡命，就是我所吩咐你的，使你的日子得以長久。以色列啊！你要聽，要謹守遵行，使你可以在那流奶與蜜之地得以享福，人數極其增多，正如耶和華你列祖的神所應許你的。以色列啊！你要聽，耶和華我們神是獨一的主。你要盡心、盡性、盡力愛耶和華你的神。我今日所吩咐你的話，都要記在心上，也要殷勤教訓你的兒女；無論你坐在家裡，行在路上，躺下、起來，都要談論。也要繫在手上為記號，戴在額上為經文。又要寫在你房屋的門框上，並你的城門上。」

我們要把這位創造者介紹給孩子，祂是生命之源（耶和華之意）和能力之源（上帝之意，上帝與神在聖經中是同字）。讓祂成爲獨一的主，孩子就可以盡心、盡性、盡力愛耶和華他的神。上帝所吩咐的我們要記在心上，日夜殷勤的教訓我們的兒女，無論坐在家裡，行在路上，躺下、起來，都要談論。也要照著祂的話行動，掛在我們的手上，上帝的話整天在我們做事情的時候表現出來。在額上，我們的思想被上帝的話充滿，就很自然可以講上帝的話，做上帝要我們做的事。我們所居住的房子，我們的環境充滿上帝的話，在你工作上你跟外人交接的時候，同樣是照著上帝的話。立法是我們的創造者，救贖我們的也是我們的創造者，將來的審判也是我們的創造者。

成功的標準：審判的事實

創造者審判、給分數，是照著兩個原則，就是良善和忠心。我們不是要跟其他人比較，而是我們是不是做上帝認爲良善、忠心的事情，上帝交給你的你要忠心來做。

這是教孩子的大綱，希望我們大家一起長進。從「插電」開始：連與創造者，生命和能力之源，祂也是愛和智慧之源。

讓我們一起禱告：「親愛的創造者，我的天父，降世爲人的主耶穌基督，祢實在是我們的創造者。祢愛我們來到世上爲我們死，祢流出寶血赦免我一切的罪，洗淨我一切的罪。祢又從死裡復活，叫我得到新生命。我承認祢是我的老闆，祢是我的主宰，祢應管理我的一生。我承認祢從死裡復活給我新生命，我也承認過去我自作主張。所以，我的生命確實沒有達到標準，這就是罪，求祢赦免。感謝祢，因爲我這樣承認了之後，祢便來管理我的生命，我就必定得救。我不需要也不能再加上什麼，我所要做的就是學習祢的話。過去我自作主張，現在要聽祢的話了，求祢給我聰明智慧可以學習祢的話，照著祢的話來做。賜給我聖靈，帶我進入真理就像祢應許的；給我祢的平安喜樂，求祢給我聰明智慧，管理祢所交給我的孩子。他們是祢給我經理的產業，他們要成爲虔誠的後代。求主祢幫助我，知道怎麼樣控制我的時間，管理我自己的情緒，知道怎麼樣讓祢的話充滿我的頭腦，用祢的話言行一致的教導孩子。祝福我們全家，叫我們都信靠祢，享受祢的愛。我這樣禱告，是奉主耶穌基督的聖名求，阿們。」

願上帝祝福你們全家，叫你們全家都在祂給你的福份上盡量的享受。祂給我們很多的應許，就像支票一樣，每一樣你都是可以支取的。比如，失去平安，你可以求得到平安，這是耶穌所應許的；失去喜樂，你可以求得到喜樂，這也是主耶穌所應許的。當你讀聖經的時候，你就會看見許多應許，每一樣都是天父給你的。只要你遵從這本手冊所教導的，福氣都會賜給你。不但有今生的福氣，更有永恆的福氣。永遠在那理想、完全的境界，與愛你的創造者永遠同在。（盼望以後能針對不同年齡兒女特別的問題作答。）

初信者參考資料

你如果願意開步走，請參考用以下的建議，謙卑誠懇的，請天地的主宰 — 耶穌基督成為你的救主和生命的主人。

決志邀請耶穌作救主的禱告 —

「親愛的天父，我讚美祢，耶穌基督，我感謝祢。祢是創造宇宙的眞神，降世為人，因為祢愛我，為我的罪死在十字架上，流寶血洗淨我一切的不義，從死裡復活，叫我得新生命。我誠懇的請求祢，請主耶穌基督進入我心中，作我的救主，管理我的一生，請祢赦免我的罪；就是我自作主張，沒有遵從祢的話。從今以後，我要遵從祢的話。求祢賜我永生，就是祢的生命。賜我聖靈，引導我進入眞理。賜我祢的平安和喜樂，讓祢的愛充滿我的心，求祢看顧我的家，叫我們全家歸祢，享受祢的愛，帶領我的前途。我這樣的禱告，是奉主耶穌基督的名求，阿們。」

你已經誠懇的邀請了耶穌基督作你個人的救主和生命之主宰，你已經請祂赦免你的罪，也願意悔改歸正。

下面一些資料可以幫助你了解一些常用的詞句：

天父：我們的生命是創造主所造的。祂愛我們，是天上的父親。

耶穌：大約二千年前，有一嬰兒出生在猶大地的伯利恆城，祂叫耶穌，是天使傳訊要祂生母童貞女馬利亞和養父約瑟，給祂取的名字；意思是救主，因祂要將自己的百姓從罪惡裡救出來。耶穌是從天父而來，祂與父原為一。

基督：受膏者。猶太人差派某人當國王、祭司或先知都以膏油倒在那人頭上為記。「基督」和「彌賽亞」同是受膏者之意。基督是希臘文，彌賽亞是希伯來文；即奉差遣者。耶穌是這位奉差遣來完成救恩者。祂兼有國王、祭司、先知三職。國王 — 祂是萬王之王，因祂是造物者。祭司 — 祂爲我們代求，爲我們獻祭。先知 — 祂傳達天國的真理。

眞神：神 — 大能者。一切能力從祂而來。只有創造宇宙的主才是真神。因萬物是祂造的，所以萬物也都是屬祂的，除祂以外，別無真神。祂是生命之源，我們的生命是祂造的，祂是管理天地之主。

降世爲人：耶穌本在天上極美之處，但祂爲愛世人，自願降世爲人，取了人的形狀，但是，祂雖有罪身（我們）的形狀，卻是無罪。耶穌的歷史性是無可否認的，全世界都公認。在二千年前，有這麼一位奇妙的人出現在歷史上，所以全世界公用祂的降生爲劃時代的紀元。今天每次我們寫信、寫支票或任何文件都有意無意的紀念祂的降生。

耶穌愛我：耶穌的降生是愛的表現，祂的一生也傳達了祂愛世人。祂的代死更是顯明了祂的愛。

爲我的罪死在十字架上：耶穌自己並沒有罪，這是祂的朋友和仇敵都同意的。祂爲我們的過犯受害，以自己作贖罪祭，義的代替不義。十字架是歷史上用了約二百年的一種殘忍酷刑。受刑者被釘在十字形的架上，極其痛苦，慢慢的死（幾天），但這死法都是聖經在耶穌之前千年就預言，祂要被舉起來，手腳被扎，骨頭脫節，但骨頭一根也不折斷。

流寶血洗淨我一切的不義：耶穌爲我們流血，以這血立了新的約。這約是立了，不能改。任何人承認耶穌是爲他流血，上帝就照著這約洗淨這人一切的不義。憑著耶穌的血，藉著人的信，顯明上帝的義，也稱信耶穌的人爲義。耶穌是贖罪「羔羊」。羔羊蓋在「我」之上即成「義」。

從死裡復活：與耶穌同時代，猶太人和羅馬的歷史家，他們雖然並不是耶穌的朋友，但是都很客觀的記載了耶穌復活的史實。當代還有很多的見證人，目睹耶穌死而復活後升天。耶穌是歷史上唯一死而復活之後，沒有死的人。

叫我得新生命：耶穌的復活，證明祂是生命之主。也證明祂已勝過罪的權勢 — 死亡，祂是那造生命的永生上帝。在耶穌基督裡的人也都要復活，勝過死亡。若有人在基督裡，他就是新造的人，舊事已過，都變成新的了。

誠懇：造物主尊重你我，將決定的主權給你我，沒有任何人可以爲你作決定，你必須爲你自己作出決定，我也是如此。當你誠懇邀請耶穌時，祂就允許你的請求。

進入心中：心是代表整個人。

作我的救主：救我從罪惡裡出來，救我從敵擋上帝的魔鬼手中出來，救我進入祂裡面，祂比萬有都大，誰也不能從祂手裡把我們奪去。主 — 主人。

管理我的一生：我們是請耶穌作救主，作我一生的主人，不是作我的僕人，所以我的生命交給祂管理。祂是我生命的主人。我不是說：「耶穌，祢替我做。」而是說：「耶穌，祢要我做什麼，我願意遵從祢。」

赦免我的罪：罪 — 沒有達到標準。我沒有達到造物主的標準，因此生命不理想，請祂赦免。

自作主張：自立標準。自我中心；我覺得好，我喜歡，我就去做。

沒有遵從祢的話：造物主有話留下（聖經），定下做人的標準。我們沒有遵從，甚至沒有去讀，所以我們就會自作主張，我行我素。個人的問題、家庭的問題和社會的問題，都基於此。祂是創造宇宙萬物的，祂才知道世界如何處理，人生如何處理。我們不遵從祂的話，自以爲聰明。但其實我們不夠聰明，所以無法處理得完美。就如處理汽車，如果我們不遵從造車者的話（車子是他設計，他知道如何處理），應該用無鉛汽油，我們不用；用了牛奶，車子就有毛病了。人生也是如此，唯有遵從造物主的話，才能美好，免受虧損。

從今：悔改，改變方向，立志。

遵從：真信心必有行動，遵從才是真信。

永生：我們一請耶穌基督爲救主，祂的生命就進入我們。祂的生命是永遠存在的，所以我們也得到永生。意即：我們也得到那能夠生存在上帝國度裡的生命。在上帝的國度裡，全是理想的，十全十美的，因此也不會因不理想而走下坡，而死亡。

聖靈：真理的靈要在我們裡面，引導我們進入真理，叫我們想起耶穌的話，照著天父的旨意，爲我們禱告，叫我們明白聖經的話，提醒我們遵從聖經的話。造物主（神、上帝）是一位，但聖經介紹祂爲聖父、聖子、聖靈三個位格。我們有限的頭腦未能完全了解無限的上帝，我們只能接受祂的自我介紹。聖父、聖子、聖靈是一神、一名、同等、同榮。（受洗是奉聖父、聖子、聖靈的名，這名是單數的，因爲只有一位真神，就是創造者。）因人智慧有限，未能了解無限的造物主，所以描述爲「三位一體」，但並不表示我們了解；就如我們描述「地心吸力」，並不表示我們了解。

引導我進入眞理：耶穌應許請祂爲救主的人，就得祂差來的聖靈，聖靈要引導我們進入一切的真理，指教我們一切的事。

平安：耶穌應許跟從祂的人有平安。祂留下平安給我們。祂將祂的平安賜給我們。我們可以凡事藉著禱告、祈求和感謝，將我們所要的告訴祂，祂會賜給我們出人意料之外的平安，在基督耶穌裡保守我們的心懷意念。在世上雖有苦難，但我們可以放心，因在主裡有平安，祂已勝了世界。

喜樂：耶穌應許信祂的人有喜樂，這喜樂也沒有人能奪去。

愛：我們信耶穌，是與祂建立愛的關係。祂愛我，爲我捨命，解決我因罪而有的問題和損傷。我愛祂，願意以祂爲主，遵從祂的話。真愛是恆久忍耐，又有恩慈；不嫉妒，不自誇，不張狂，不作害羞的事，不求自己的益處，不被激怒，不計算人的惡，不喜歡不義，只喜歡真理；凡事包容，凡事相信，凡事盼望，凡事忍耐；愛是永不止息。

家：家是造物主所設立的，爲了我們的益處。但今天有多少家庭成爲痛苦的源頭，這都是因爲人沒有遵從設立家庭者的設計，自作主張，自以爲是，用自己的方法來處理。所以家變成了苦海。現在我們回頭是岸，不再自作主張，而是遵從主的話，家可以成爲愛之窩。

全家歸祢：這是多好的事！全家遵從主的話，不再各自爲政、任意而行，全家以基督的心爲心。如果你是家中唯一一位信耶穌的，那麼你是福氣的導管，讓耶穌改變你，叫你成爲一位像耶穌的人，滿有仁愛、喜樂、和平、忍耐、恩慈、良善、信實、溫柔和節制。家人看見你的新生命，也會羨慕。

前途：沒有人知道前途如何，但愛我們的造物主掌管一切，讓祂帶領，祂應許叫我們有前途、有盼望。因爲祂向我們所懷的意念，是賜平安的意念，不是降災禍的意念。

奉主耶穌基督的名：耶穌應許我們奉祂的名求，祂必成就。當然這不是說，我們求什麼，只要加上這麼一句，祂就必成就我們所求的。因爲奉祂的名包括「在祂的範圍裡」和「照祂旨意」在內。

阿們：「實在」、「真實」之意。我是真誠的祈禱，耶穌是真實可信的，因祂不但信實，會照祂的應許而行，祂也有能力照祂應許而行。祂是創造者，在祂沒有難成的事。

享受神的愛：你已經接受了耶穌的救恩和祂永遠的愛，從此可以在每天的生活上享受祂的愛。要享受祂的愛也必須愛祂，因爲愛是雙方面的。

如何愛神？耶穌說：「你們若愛我，就必遵守我的命令。有了我的命令又遵守的，這人就是愛我的。愛我的必蒙我父愛他；我也要愛他。」「我們要到祂那裡去，與祂同住。」（約翰福音十四章）

起步：「有了我的命令」：每天讀神的話才知道祂的命令。請讀最基本的命令：十誡：①除我（耶和華：自有永有的創造者）以外不可有別的神。②不可雕刻偶像，不可跪拜偶像。③不可妄稱耶和華你神的名。④要記念安息日，守爲聖日（因神六日造天地，第七日安息，我們也要六日勞碌，一天安息記念上帝是主）。⑤要孝敬父母。⑥不可殺人。⑦不可姦淫。⑧不可偷盜。⑨不可作假見證。⑩不可貪心。（出埃及記二十章）。你要盡心，盡性，盡意，盡力，愛主你的神，其次是愛人如己（馬可福音十二章）。

實行：請先讀馬太、馬可、路加、約翰四福音，連讀多次。熟悉耶穌生平，知道祂的言行思想，在日常生活上以祂爲榜樣。每事自問：「要是耶穌在我的處境，祂會說什麼？做什麼？祂會要我說什麼？做什麼？」

溝通：整天與神保持聯絡：整天禱告「將一切罣慮卸給神。祂顧念你，會賜給你喜樂平安。」「你們要靠主常常喜樂……應當一無掛慮，只要凡事藉著禱告、祈求和感謝，將你們所要的告訴神。神所賜出人意外的平安，必在基督耶穌裡，保守你們的心懷意念。」（腓四章）

聖經：是神給我們的話，是真理，也是人生最高的權威，讓你熟悉「神口裡所出的一切話」。四福音熟悉之後，繼續讀完新約和舊約，讀越多次越好。有時快讀以知道大意，有時細讀以知道詳細。每次讀完一段就自問：「這段講什麼？」「什麼意思？」「與我何關？」讀之前禱告，請耶穌基督指示教導；讀後禱告，回應剛才所讀的。願賜平安的神親自使你們全然成聖。又願你們的靈與魂，與身體得蒙保守，在我們主耶穌基督降臨的時候完全無可指責。那召你們的本是信實的，祂必成就這事。

願主耶穌基督的恩惠，上帝的慈愛，聖靈的感動，不間斷的與您同在。

你的姊妹/弟兄：

蘇緋雲/何仲柯